Gweddïau Cyhoeddus

Cyfrol 1

52 o weddïau a darlleniadau
ar gyfer addoli cyhoeddus

Golygydd:
Aled Davies

Cyfraniadau gan:

Carys Ann

Gareth Alban Davies

Saunders Davies

Roger Ellis Humphreys

Casi Jones

Eric Jones

Dewi Morris

Elwyn Richards

Eifion A. Roberts

Ifan Roberts

Robin Samuel

Brian Wright

CYHOEDDIADAU'R
GAIR

ⓗ Cyhoeddiadau'r Gair 1997

Golygydd: Aled Davies.
Testun gwreiddiol: Carys Ann, Gareth Alban Davies, Saunders Davies,
Roger Ellis Humphreys, Casi Jones, Eric Jones, Dewi Morris,
Elwyn Richards, Eifion Arthur Roberts, Ifan Roberts,
Robin Samuel, Brian Wright.

Clawr: Ruth Evans

ISBN 1 85994 043 9

Dymuna'r cyhoeddwyr gydnabod cymorth Adran Olygyddol
Cyngor Llyfrau Cymru.

Cyhoeddwyd gan:
Cyhoeddiadau'r Gair, Cyngor Ysgolion Sul,
Ysgol Addysg, PCB, Ffordd Deiniol,
Bangor, Gwynedd LL57 2UW

Cynnwys

Rhagair

O Sul i Sul drwy Gymru benbaladr mae yna filoedd ar filoedd yn dod ynghyd i addoli Duw. Mae yna aelodau o deulu Duw yn ymgynnull yn rheolaidd ar y Sul ac yn ystod yr wythnos i weddïo, gan gyflwyno offrymau o ddeisyfiad ac eiriolaeth, diolchgarwch a mawl. Nid yw hyn yn newyddion i'r un ohonom wrth gwrs, ond weithiau mae angen i ni atgoffa ein hunain o werth a grym gweddi, ac o ffyddlondeb y saint. Y mae yna 'weddill ffyddlon' niferus yn arwain a rhannu mewn addoliad yn ein heglwysi a'n capeli - rhai yn medru gweddïo'n gyhoeddus, ac eraill yn teimlo'n llai hyderus i wneud hynny heb ganllaw ysgrifenedig.

Yn anffodus, stori gyffredin yw clywed am oedfaon yn cael eu 'gohirio' oherwydd nad yw'r 'pregethwr yn medru dod'. Diolch i'r cynulleidfaoedd lleol hynny sy'n ymdrechu i gynnal oedfa gan ddefnyddio eu doniau cynulleidfaol, ac i'r pwrpas hwnnw y cyflwynir y gyfrol hon. Ceir yma 52 o weddïau, gyda darlleniad pwrpasol i gyd-fynd â phob gweddi. Er mwyn llunio oedfa o gwmpas y deunydd, ceir tair cyfrol yn y casgliad, gyda'r un penawdau yn y tair. Golyga hyn bod tri darlleniad a thair gweddi ar bob thema rhwng y tri llyfr, a digon o ddeunydd am flwyddyn o Suliau.

Rhaid diolch i'r brodyr a'r chwiorydd hynny a gyfrannodd bum gweddi yr un i'r casgliad - a hynny ynghanol prysurdeb a gofal gwaith llawn amser. Diolch hefyd i Adran Olygyddol Cyngor Llyfrau Cymru am y gwaith golygyddol, Caren Wyn Jones am y teipio ac Elfed Hughes am y gwaith cysodi.

Wrth i ni gyflwyno'r casgliad i sylw'r eglwysi, ein gweddi yw y bydd i'r deunydd defosiynol yma fod yn gyfrwng i hybu a grymuso ein haddoliad ac yn fodd i ddyrchafu enw Duw.

Ein gobaith i'r dyfodol yw parhau y gyfres hon - felly os ydych am ychwanegu deunydd at y casgliad, mae croeso i chi ei anfon i mewn atom.

Gyda llawer o ddiolch,
Aled Davies.

Dechrau Blwyddyn

Darlleniad   **Salm 33**   - 462

Arglwydd ein Duw, diolchwn i ti am gael camu i flwyddyn newydd arall. Wrth edrych yn ôl ar y flwyddyn a aeth heibio, diolchwn i ti am dy gariad a'th ofal trosom. Bu i ni fwynhau dy fendithion bob dydd, 'bob bore y deuant o'r newydd, mawr yw dy ffyddlondeb'. Cynorthwya ni i werthfawrogi dy roddion, ac i gydnabod mai ynot ti yr ydym 'yn byw, yn symud ac yn bod'. Cydnabyddwn inni ar brydiau dy anghofio a throi cefn arnat, ond ni wnest ti erioed ein hanghofio ni na throi cefn arnom. Cynorthwya ni yn ystod y flwyddyn hon i fod yn fwy gwerthfawrogol o'th roddion, yn fwy ffyddlon i ti, ac i'n cysegru ein hunain yn llewyrch yn dy waith ac mewn gwasanaeth i eraill.

A chan gofio profiadau ddoe, fe wynebwn ni yfory yn hyderus gyda thi. Gwyddom y byddi eto yn trugarhau wrthym, ac yn gofalu amdanom.

> 'Er maint y daioni a roddi mor hael,
> Tu cefn i'th drugaredd mae digon i'w gael;
> Llawenydd yw cofio, er cymaint a roed,
> Fod golud y nefoedd mor fawr ag erioed.'

Gweddïwn am dy fendith ar y flwyddyn hon. Gweddïwn am iechyd i fwynhau breintiau bywyd. Gweddïwn am gyfiawnder a heddwch yn ein byd. Gweddïwn dros y rhai sydd mewn awdurdod, dros arweinyddion byd, ar iddynt lywodraethu yn unol â'th ewyllys di. Gweddïwn dros ein cyd-Gristnogion, gan gofio'n arbennig am y rhai sy'n cael eu herlid oherwydd eu ffydd. Gweddïwn dros yr Eglwys, ar i'r Eglwys fod yn offeryn effeithiol yn dy law i gario efengyl Iesu Grist i bob cwr o'n byd.

Gweddïwn y byddwn ninnau fel dy ddilynwyr yn tyfu i fod yn Gristnogion aeddfetach, fel y gall eraill weld Iesu ynom. Gweddïwn am i ti dywallt dy Ysbryd Glân i'n calonnau, oherwydd heb rym dy Ysbryd ni allwn wneud dy waith.

Gwared ni, ein Tad, rhag bod yn hunanol gyda'th roddion. Mae dy fendithion di i'w rhannu gyda phawb o bobl y byd. Gweddïwn y byddwn fel unigolion yn barotach yn ystod y flwyddyn hon i rannu, ac y bydd llywodraethau'r byd yn cydweithio fwyfwy â'i gilydd i ddileu newyn a thlodi, ac i ddarparu ar gyfer yr amddifad, y digartref a'r diwaith. Arglwydd, paid â gadael inni fynd 'heibio o'r ochr arall'; boed inni dosturio ac ymgeleddu.

Ein Tad, cysegrwn ein hunain o'r newydd i ti, ac i waith dy Eglwys. Gwna ni'n well disgyblion i Iesu Grist.

> 'O na allwn garu'r Iesu
> Yn fwy ffyddlon, a'i wasnaethu;
> Dweud yn dda mewn gair amdano,
> Rhoi fy hun yn gwbl iddo.' Amen.

Ifan Roberts

Gŵyl Ddewi

Darlleniad   **Eccleslasticus 44, 1-15**

Diolchwn i ti, ein Tad, am greu amrywiaeth yn dy fyd - amrywiaeth cenhedloedd, pobl, ieithoedd, traddodiadau a diwylliant. Maddau inni ein bod wedi defnyddio'r amrywiaeth hwn fel esgus dros genfigen a chynnen. Dysg ni i barchu cenhedloedd, ieithoedd a diwylliant ein gilydd, a'u gweld yn bethau sy'n cyfoethogi bywyd ein byd. Nid oes ffafr yn dy olwg di. Mae pob cenedl, lliw ac iaith yn gyfartal. Gad inni felly roi'r un urddas a'r un gwerth ar ein gilydd ag yr wyt ti wedi ei roi arnom ni.

Diolch am greu Cymru a'i phobl. Diolch fod gennym iaith a diwylliant unigryw, a bod yr iaith a'r diwylliant hwnnw'n gallu sefyll yn gyfochrog ag ieithoedd a diwylliannau eraill sydd bellach yn rhan o fywyd Cymru. Gwared ni rhag troi cefn ar y pethau hynny sydd wedi ein gwneud ni'n genedl, a chynorthwya ni i gario gyda ni o'r gorffennol y pethau hynny sy'n mynd i gyfoethogi ein dyfodol. Gwna ni'n falch o'n traddodiadau, yn falch ein bod yn Gymry, nid am ein bod yn well nag unrhyw genedl arall, ond am ein bod yn caru Cymru a'i phobl, ac am weld parhau'r genedl hon, gan y byddai ei diflaniad yn tlodi bywyd y byd.

Diolchwn i ti am draddodiad Cristnogol cyfoethog Cymru, ac am y rhai a weithiodd ar hyd y canrifoedd i sicrhau fod efengyl Iesu Grist yn dod i glyw pobl ein gwlad. Yr ydym heddiw'n cofio ac yn diolch yn arbennig am fywyd Dewi Sant. Diolch am ei dduwioldeb, ei dosturi, ei ddyfalbarhad, a'i sêl dros yr efengyl. Gwna ni'n debyg i Dewi, yn eiddgar i gyflwyno Iesu a'i neges i bobl Cymru heddiw. Dyro inni'r ysbryd cenhadol oedd mor amlwg ym mywyd Dewi a'i gydweithwyr, yr ysbryd hwnnw a'i gyrrodd ar hyd a lled Cymru i ddweud wrth eraill am Iesu Grist. Cynorthwya ni heddiw i ymateb i alwad Iesu, i fynd a gwneud disgyblion o'r newydd iddo ef.

Gweddïwn yn arbennig dros blant ac ieuenctid Cymru ar iddynt gael cyfle i ddod i adnabod Iesu Grist a'i garu. Dyro i ni fel eglwysi, O!

Dad, faich dros y genhedlaeth newydd sy'n codi yng Nghymru heddiw. Dyro inni hefyd weledigaeth fel y gallwn gyflwyno'r efengyl iddynt mewn iaith a chyfrwng y maent yn eu deall.

Ein gweddi, O! Dad, yw y bydd Cymru eto'n dir ffrwythlon i'r efengyl, oherwydd fe wyddom fod ar Gymru a'i phobl angen Iesu Grist, a bod y genedl hon, fel pob cenedl arall, ar ei gorau pan yw'n byw'n agos atat ti.

'Pâr i'n cenedl annwyl rodio
Yn dy ofn o oes i oes,
Gyda'i ffydd yng ngair y cymod,
Gyda'i hymffrost yn y groes.' Amen.

Ifan Roberts

Y Gwanwyn

Darlleniad   **Caniad Solomon 2, 11-13**

'O Arglwydd, ein Iôr, mor ardderchog yw dy enw ar yr holl ddaear!'

Canmolwn di, O! Dduw, am dy greadigaeth, ac am i ti osod trefn odidog ar yr hyn a greaist. Mae'r tymhorau'n dod yn eu tro, a rhoddaist bwrpas arbennig i bob tymor. Wedi oerni a seibiant y gaeaf, daw'r gwanwyn a'i fywyd newydd i lonni'r greadigaeth, ac mae'r blagur ar y coed yn ernes fod tyfiant a ffrwyth i ddilyn maes o law. Diolch am gael teimlo gwres yr haul unwaith eto, a mwynhau golau dydd sy'n ymestyn o ddydd i ddydd. Diolch am gael clywed cân yr adar ar fore braf, a gweld anifeiliaid wedi deffro eto o drymgwsg y gaeaf.

Arglwydd, y mae'r gwanwyn hefyd yn adeg paratoi'r tir a hau'r had. Bendithia'r paratoi a'r hau eleni, nid yn unig yng Nghymru ond trwy'r byd i gyd, fel bod cnwd digonol ar gyfer dyn ac anifail. Gwyddom mai ti, O! Arglwydd, sy'n peri tyfiant, ond ni ddaw tyfiant chwaith oni bai fod yna hau. Dyro dy fendith ar waith yr amaethwr, a phâr fod cynnyrch y tir yn cael ei rannu'n deg fel na fydd newyn yn ein byd. Diolch i ti, ein Tad, am obaith newydd y gwanwyn.

Ond, Arglwydd, yr ydym yn dyheu hefyd am weld gwanwyn arall yng Nghymru - gwanwyn ysbrydol. Bu'r gaeaf yn hir; mae'r oerni wedi gafael ynom. Yn wir, mae rhai wedi digalonni am na welant arwyddion fod gwanwyn ysbrydol wrth law. Gweddïwn am wanwyn ysbrydol. Deffra ni o'n trymgwsg, ein Tad, fel dilynwyr Iesu Grist, a phâr fod gwres yr Ysbryd yn gafael ynom. Anfon ni i baratoi'r tir, ac i hau had yr efengyl yn naear Cymru. Dangos inni, Arglwydd, nad oes gobaith am gynhaeaf ysbrydol oni bai fod yr hau yn digwydd. Dyro i ni obaith am adnewyddiad, a bywyd newydd yr Ysbryd.

'Ysbryd y Gwirionedd, tyred,
Yn dy nerthol ddwyfol ddawn;
Mwyda'r ddaear sech a chaled,
A bywha yr egin grawn;
Rho i Seion
Eto wanwyn siriol iawn.'

Gweddïwn hyn yn enw Iesu Grist. Amen.

Ifan Roberts

Y Grawys

Darlleniad

Luc 4, 1-13

Arglwydd ein Duw, trown atat ar ddechrau'r Grawys, gan ofyn am dy fendith a'th arweiniad yn ystod y tymor pwysig hwn.

Diolchwn am yr hanes a ddarllenwyd sy'n sylfaen i'r Grawys, a helpa ni i fyfyrio o'r newydd ar y digwyddiadau.

Cofiwn fod yr Ysbryd a fu'n arwain Iesu yn yr anialwch yn dymuno ein harwain ninnau, wrth i ni wynebu profiadau amrywiol yr anialwch a ddaw i gwrdd â ni yn ein bywydau. Yn ein hunigrwydd, ein siom, ein diflastod, ein dryswch, ein hanobaith, ein gofidiau a'n hanawsterau, helpa ni i sylweddoli dy fod ti yn Arglwydd ar yr anialwch hefyd, ac yn drech na holl amgylchiadau dyrys bywyd.

Meddyliwn yn arbennig am ddisgyblaeth Iesu dros y deugain niwrnod a gweddïwn am gymorth i ninnau ymddisgyblu. Rhaid i ni gydnabod, Arglwydd, ein bod ni'n gallu bod yn ddiffygiol yn ein hymroddiad i'r bywyd Cristnogol ac yn annheilwng o gael ein galw'n ddilynwyr a disgyblion i Iesu. Mor aml y byddwn yn crwydro oddi wrthyt mewn meddwl a gair a gweithred.

Cawn ein hannog gan y Gair i ganolbwyntio ar y gwir a'r anrhydeddus, y cyfiawn a'r pur, yr hawddgar a'r canmoladwy, ar bob rhinwedd sy'n haeddu clod, ond eto gwyddom ein bod yn cael ein denu mor rhwydd at y gau a'r anurddasol, yr anhaeddiannol a'r amhur.

Cawn ein hannog gan y Gair i atal y tafod rhag drwg a'r gwefusau rhag llefaru celwydd, i gyfrannu bendith a gweddïo dros bawb, ond eto gwyddom mor rhwydd y llithra allan y geiriau angharedig a'r saethau miniog i glwyfo a dilorni.

Cawn ein hannog gan y Gair i garu'n gilydd, nid ar air ac ar dafod yn unig, ond mewn gweithred a gwirionedd, ond gwyddom mor rhwydd y gadawn i gyfle fynd heibio a methu gwneud unrhyw beth dros y lleiaf o dy blant di.

Trugarha wrthym, Arglwydd, yn ein methiant, ac adnewydda ni â'th faddeuant.

Yn ystod y Grawys hwn, cynorthwya ni i roi ein hunain o'r newydd o dan iau Iesu a dysgu ganddo ef. Cyfeiria ni'n gyson at lwybrau defosiwn, i astudio'r Gair ac offrymu gweddi, fel y gallwn ddyfnhau ein bywyd ysbrydol a gwrthsefyll pob temtasiwn, fel y gwnaeth Iesu.

Mewn byd sy'n ymwrthod â phob disgyblaeth ac sy'n mynnu troi rhyddid yn benrhyddid, bydded i ni ddangos gwerth y bywyd disgybledig a'r bendithion sydd i'w cael o fyw o fewn terfynau dy fwriad a'th ewyllys.

Fel y bu i Iesu ddefnyddio'r anialwch yn gyfnod o baratoi ar gyfer ei waith yn achub y byd, boed i ninnau wneud y defnydd gorau o'r tymor hwn i'n paratoi ein hunain ar gyfer y Pasg. Boed i'n golygon ni edrych ymlaen tuag at y Groes, a'n myfyrdodau ni ganolbwyntio ar yr aberth mawr trosom ni, fel y bydd ein hymroddiad dros yr efengyl a'n gwaith dros y deyrnas o'r radd flaenaf. Bydded i'n Grawys ni fod yn deilwng o'th Basg di, y cariad a roddodd ei hunan yn llwyr er mwyn rhoi bywyd i'r byd.

Yn enw ac yn haeddiant dy Fab, ein Gwaredwr Iesu Grist, Amen.

Robin Samuel

Sul y Blodau

Darlleniad   Luc 19, 28-44

'Bendigedig yw'r un sy'n dod yn frenin yn enw'r Arglwydd; yn y nef, tangnefedd, a gogoniant yn y goruchaf.'

Fel y dyrfa ar strydoedd Jerwsalem yr ydym ninnau, Iesu, yn dy groesawu'n frwdfrydig i'n hoedfa. Cydnabyddwn mai ti yw'r Brenin, ac mai ti'n unig sy'n hawlio ein gwrogaeth a'n haddoliad ni.

Ond diolch nad brenin rhyfelgar wyt ti, yn marchogaeth ar farch a mintai'n dy ddilyn, ond un a ddaeth ar ebol gan gyhoeddi teyrnas a ffordd tangnefedd. Fel y bu i ti wylo dros Jerwsalem, credwn dy fod ti o hyd yn wylo dros gyflwr ein byd. Maddau i ni nad ydym eto fel byd wedi gwrando ar dy neges a gweithredu; maddau nad ydym eto wedi dysgu dilyn ffordd tangnefedd. Gweddïwn y bydd y rhai treisgar a'r rhai sy'n caru rhyfel yn cael eu darostwng, ac y bydd cymod a thangnefedd rhwng pobl a chenhedloedd ein byd.

Ar ddechrau wythnos y Pasg, pâr ein bod yn dwyn ar gof yr hyn a ddigwyddodd, ac yn sylweddoli o'r newydd cymaint a gostiodd i ti, O! Iesu, i ddwyn gobaith a bywyd newydd i'n byd. Cawn ein hatgoffa, Arglwydd, pa mor anwadal ydym fel pobl, a bod y dyrfa oedd yn dy groesawu ddechrau'r wythnos yn dy watwar a'th wrthod erbyn ei diwedd. Gwared ni rhag bod yn rhan o'r dyrfa sy'n dy wrthod ac yn cefnu arnat heddiw. Helpa ni i roi croeso i ti yn ein bywyd, nid yn unig ar wyliau arbennig, ond bob dydd o'n hoes. Ac oherwydd ein bod yn dy adnabod, Iesu, fel ein Gwaredwr a'n Harglwydd, gallwn ninnau hefyd floeddio 'Hosanna, Haleliwia'.

'Hosanna, Haleliwia,
Fe anwyd Brawd i ni;
Fe dalodd ein holl ddyled
Ar fynydd Calfari;
Hosanna, Haleliwia
Brawd ffyddlon diwahân;
Brawd erbyn dydd o g'ledi
Brawd yw mewn dŵr a thân.'

Gweddïwn hyn yn enw Iesu Grist. Amen.

Ifan Roberts

Y Groglith

Darlleniad   **Eseia 53, 1-12; 55, 1-5**

O! Dduw, ein Tad nefol, wrth inni gofio digwyddiadau mawr y Groglith, rydym yn diolch i ti o'r newydd am dy gariad mawr tuag atom yn yr Arglwydd Iesu Grist.

Rydym yn diolch i ti o'r newydd heddiw nad cariad rhad y cylchgronau, nad rhamant rhwydd y llyfrau clawr papur na chariad heulwen haf sy'n darfod yw dy gariad di, ond cariad amhrisiadwy.

Rydym yn diolch heddiw dy fod ti wedi ein cymryd o ddifrif, dy fod wedi ein caru o ddifrif, dy fod wedi plymio i ddyfnder ein hangen o ddifrif.

Rydym yn diolch heddiw fod yr Arglwydd Iesu Grist wedi dod i ganol y profiad o fod yn ddynol i faddau ac i dosturio, i achub ac i iacháu.

Rydym yn cofio heddiw ei ddioddefaint ef sy'n ein rhyddhau ni, a'i glwyfau ef sy'n ein hiacháu.

> Wrth inni feddwl am gorff drylliedig ein Harglwydd,
> Myfyriwn ar ddelw ddrylliedig y ddynoliaeth;
> Meddyliwn am hunanoldeb a balchder ein bywydau,
> Meddyliwn am gasineb a thwyll,
>   trais a lladd yn ein gwlad a'n byd...

(Saib o dawelwch)

> O! Dduw ein Tad, er i ti ein creu ar dy ddelw
> Cyffeswn nad ydym yn debyg i ti;
> Er i ti ein caru fel dy blant,
> Cyffeswn inni dy anwybyddu fel dieithryn;
> Er i ti dosturio wrthym a maddau i ni,

Cyffeswn inni galedu'n calonnau yn erbyn ein cyd-ddyn
   a gwrthod maddau i eraill;
Er i ti wneud cymaint drosom er ein lles,
Cyffeswn inni'n aml esgeuluso lles ein cymydog.
Cofiwn heddiw am y rhai mewn dicter a gwallgofrwydd
   sydd wedi dolurio neu ddinistrio bywyd pobol eraill;
Cofiwn heddiw am y rhai sydd wedi camddefnyddio grym
   i reoli a chaethiwo eraill gyda bygythiadau ac ofn ...

(Saib o dawelwch)

Dyro inni weld o'r newydd yn y Crist ar y Groes
Cymaint yw dy gariad a'th drugaredd di.
Diolch am yr Iesu sy'n cymryd ein heuogrwydd ni,
Sy'n estyn ei faddeuant amhrisiadwy i ni o'r Groes.
Wrth inni feddwl am ddioddefaint Iesu ar y Groes,
Myfyriwn am bobl ddioddefus ein byd:
Y rhai sy'n sâl mewn corff, meddwl neu ysbryd,
Yr unig, y rhai gorthrymedig, y rhai sy'n galaru.
Meddyliwn yn arbennig am rai rydym ni yn eu hadnabod ...

(Saib o dawelwch)

O Dduw ein Tad nefol, er i ti ein creu i gael cyflawnder bywyd,
Cydnabyddwn y rhwystrau sy'n cadw pobl rhag ei fwynhau:
Er i ti ein creu i iechyd, mae llawer mewn afiechyd;
Er i ti ein creu i lawenydd, mae llawer yn galaru;
Er i ti ein creu yn gyfartal, mae llawer yn byw dan ormes;
Er i ti ein creu i ffydd, mae llawer yn cael eu bwrw i amheuaeth.
Cofiwn heddiw am gleifion yn yr ysbyty neu yn eu cartrefi;
Cofiwn heddiw am rai sy'n galaru mewn hiraeth am anwyliaid;
Cofiwn heddiw am rai sy'n dioddef dan ormes
ac anghyfiawnder ...

(Saib o dawelwch)

Dyro inni weld o'r newydd, yn y Crist ar y Groes,
Cymaint yw dy gydymdeimlad a'th dosturi di.
Diolch i ti am yr un a archollwyd am ein troseddau,
Ac a gymerodd ein dolur a'n gwaeledd arno'i hun,
Ein Harglwydd a'n Gwaredwr Iesu Grist. Amen.

Casi Jones

Y Pasg

Darlleniad — Luc 24, 1-12

Ein Tad nefol,
Wedi oerni'r gaeaf a chaledi'r tir,
Diolchwn am y gwanwyn sy'n meirioli, yn meddalu
   ac yn meithrin bywyd newydd ym myd natur.
Ein Tad nefol,
Cyffeswn i ti ein gaeaf ysbrydol
A chaledi tir ein calonnau.
Cyffeswn ein hamharodrwydd i adael i'th gariad ein newid.
Diolchwn i ti o'r newydd heddiw
Fod dy gariad yn ddigon cryf i dorri trwodd atom
I'n dadmer a'n deffro.
Diolch dy fod wedi rhoi rheswm inni ddathlu dechrau newydd y
   Pasg hwn.
Ynghanol bywyd newydd y gwanwyn a'i obaith gwyrdd,
Dathlwn y bywyd newydd sydd i ni yn Iesu Grist.
Fel y cododd Crist i fywyd newydd ar y trydydd dydd,
Gad i ninnau, wedi inni farw i'r drwg sydd ynom,
Godi i fywyd newydd yng Nghrist.
Fel y daeth Crist at ei ddisgyblion digalon ar y ffordd i Emaus,
Dyro i ninnau yn ein hamheuon a'n hanobaith brofi presenoldeb
   Crist fel tân yn ein calonnau.
Fel y daeth Crist i ganol pryder y stafell glo gyda geiriau o
   gysur,
Gad i ninnau ynghanol ein pryderon glywed ei lais yn cyhoeddi
   'Tangnefedd i chwi'.
Fel y casglodd Crist ei ddisgyblion, a'u hanfon i gyhoeddi'r
   efengyl i'r holl fyd,
Anfon ninnau yn nerth dy Ysbryd Glân i gyhoeddi i'n byd
   heddiw fod Iesu wedi atgyfodi,
Fod gennym wir reswm i ddathlu!
Cofiwn heddiw am ddigwyddiadau bore'r trydydd dydd wedi
   marwolaeth Iesu ac wedi gosod ei gorff mewn bedd.
Cofiwn heddiw am y gwragedd ffyddlon a ddaeth at y bedd
A'u dagrau'n gymysg â gwlith y bore bach.
Diolchwn heddiw am bawb sy'n ffyddlon i Grist pan fo llawer
   wedi cilio, ac am bawb sy'n golchi llwybr eu gwasanaeth â'u dagrau.

Cofiwn heddiw am y garreg fawr drom oedd yn ffordd y
gwragedd, rhag sylweddoli gwirionedd gwyrthiol y Pasg cyntaf.
Gweddïwn heddiw dros bawb sy'n gweld rhwystrau rhag credu,
A thros bawb sy'n teimlo pwysau llethol eu hanobaith.
Cofiwn heddiw am wacter y bedd y bore hwnnw,
Cofiwn am golli un annwyl, a cheisio ei gorff mud.
Dathlwn heddiw mai gwag yw ymffrost angau,
Dathlwn heddiw fod Iesu eto'n fyw!
Cofiwn am gwestiwn yr angel i'w ddilynwyr:
'Pam yr ydych yn ceisio ymhlith y meirw yr hwn sy'n fyw?'
Gwahoddaf chi i ymateb heddiw gyda'r geiriau:
'NID YW EF YMA: Y MAE WEDI EI GYFODI!'
Clywsom sut y daliwyd Crist gan ei elynion,
Sut y cafodd ei brofi, ei watwar a'i guro.
Chwiliwn amdano heddiw ymhlith arwyr a fethodd:
Pam yr ydych yn ceisio ymhlith y meirw yr hwn sy'n fyw?
PAWB: NID YW EF YMA: Y MAE WEDI EI GYFODI!
Clywsom sut y traddodwyd ef i farw,
Sut yr hoeliwyd ef ar groesbren, sut y dywedodd 'Gorffennwyd'.
Chwiliwn amdano heddiw ymhlith syniadau a mudiadau a fethodd:
Pam yr ydych yn ceisio ymhlith y meirw yr hwn sy'n fyw?
PAWB: NID YW EF YMA: Y MAE WEDI EI GYFODI!
Clywsom sut y daeth y gwragedd at y bedd y trydydd dydd, a
chredu.
Clywsom sut yr amheuodd y disgyblion fod Iesu eto'n fyw.
Chwiliwn amdano heddiw ymysg hen ddadleuon y gorffennol:
PAWB: NID YW EF YMA: Y MAE WEDI EI GYFODI!
Dathlwn heddiw brofiad bore'r trydydd dydd.
Dathlwn heddiw - Mae Iesu'n fyw!
Bydded iddo fyw yn ein profiad a'n bywyd bob un,
Bydded iddo fyw ym mywyd ein heglwys leol, a thrwy'r Eglwys
gyfan,
Bydded iddo fyw ym mywyd ein cymdeithas, ein gwlad a'n
byd!
Ni cheisiwn mwyach ymhlith y meirw yr hwn sy'n fyw ac yn
teyrnasu am byth!
Oherwydd y mae yn wir wedi ei atgyfodi! Amen.

Casi Jones

Y Sulgwyn

Darlleniad — Effesiaid 1, 15-23

Ar Sul y Pentecost, dathlwn gyda Christnogion drwy'r byd ein bod yn rhan o deulu Duw ac yn aelodau o Gorff Crist.

'Am roi dy Fab Iesu i'n gwared a'n prynu,
A'n dwyn ni i'th deulu, diolchwn, O! Dduw,
Am frodyr a chwiorydd, am berthyn i'n gilydd,
Yn deulu mor ddedwydd tra byddwn ni byw.'

Ar Sul y Pentecost, gadewch i ni ddiolch i Dduw am gymdeithas yr Eglwys ac am y cariad sydd gennym i'w rannu o fewn teulu'r ffydd:

Diolch i ti, ein Tad nefol,
Am gymdeithas dy bobl di.
Diolch am y cwlwm cariad sydd rhyngom,
    sy'n tynnu pobl o bob cefndir a phob oed at ei gilydd
    yn un teulu drwy dy Ysbryd.
Diolch i ti am y cyfle i gydaddoli
    ac i ddysgu gyda'n gilydd amdanat ti.

Diolchwn i Dduw am yr etifeddiaeth ogoneddus a rannwn gyda holl bobl Dduw.

Diolch i ti, ein Tad nefol, am y Beibl ac am dy Air i ni ym mhob oes.

Diolch am bawb sydd wedi gwrthod gollwng gafael arno nes cael eu bendithio.

Diolch am newyddion da yr efengyl, ac am yr addewid am faddeuant a bywyd newydd i bawb sy'n credu yn yr Arglwydd Iesu.

Diolchwn am gyfoeth emynau sy'n rhoi mynegiant i'n ffydd mewn geiriau a cherddoriaeth. Ac am weddïau ddoe a heddiw sy'n gyfoethog o brofiad a gras.

Diolchwn am famau a thadau yn y ffydd, ac am bawb rwyt ti wedi eu defnyddio i'n dwyn yn nes atat.

Diolch am ferched a dynion ym mhob oes sydd wedi tystio i ti, ac am bawb sydd wedi dioddef erledigaeth oherwydd eu ffyddlondeb i ti.

Diolch am y rhai a fu'n breuddwydio breuddwydion y deyrnas lle y maent, y rhai a fynnodd droi'r freuddwyd yn ffaith.

Mae Duw wedi dewis yr Eglwys, Corff Crist, yn gyfrwng i wneud ei waith yn y byd. Gweddïwn heddiw y bydd Duw yn bendithio gwaith ac ymdrechion ei bobl ym mhob man.

Gweddïwn dros yr eglwys hon ac eglwysi'r cylch:

Gweddïwn yn enwedig dros ... *(gellid enwi'r capel/eglwysi).*

Gweddïwn heddiw dros arweinwyr, bugeiliaid, pregethwyr ac athrawon eglwysi'r fro hon.

Gweddïwn ar i ti ddyfnhau eu hadnabyddiaeth o'r Arglwydd Iesu Grist.

Gweddïwn am gysondeb a ffyddlondeb pobl Dduw i'w gilydd ac i'r addoliad.

Arglwydd, clyw ein gweddi.

Gweddïwn dros y teulu Cristnogol drwy'r byd:

Gweddïwn yn arbennig dros yr Eglwys yn ... *(gellid enwi gwledydd arbennig neu ran o'r byd).*

Gweddïwn dros yr Eglwys sy'n dioddef erledigaeth a gormes.

Gweddïwn dros yr Eglwys mewn gwledydd lle nad oes rhyddid i addoli.

Gweddïwn dros yr Eglwys sydd mewn ardaloedd tlawd a difreintiedig.

Arglwydd, clyw ein gweddi.

Atgoffa ni o'r newydd am fawredd y gallu sydd o'n plaid ni, dy Eglwys, yn y byd. Fel y Pentecost cyntaf hwnnw, gad i ni deimlo grym dy Ysbryd o'n mewn ac yn ein plith yn ein hadfywio a'n hadnewyddu, yn ein hysgwyd a'n deffro i'th waith a'th wasanaeth di. Gofynnwn hyn yn enw ein Harglwydd Iesu, pen mawr yr Eglwys sy'n byw ac yn teyrnasu gyda thi a'r Ysbryd Glân am byth. Amen.

Casi Jones

22

Yr Haf

Darlleniad　　　Genesis 12, 1-9

Dduw Dad, ffynhonnell pob goleuni, pob gobaith a phob nerth,
Diolchwn i ti fod yr haf hirddisgwyliedig wedi cyrraedd.
Diolchwn am yr addewid yng nghân y gwcw,
Ac am gawodydd y gwanwyn sydd wedi paratoi'r ffordd.
Diolchwn am lawnder a lliw tymor yr haf
Ac am law a haul sy'n bwydo pob tyfiant.

Gweithia dy haf ynom ninnau bob un, O! Dduw,
Glawia arnom gawodydd dy ras a'th faddeuant,
Er mwyn i ninnau dyfu'n gryfach ac yn llawnach
Yn ein ffydd a'n hadnabyddiaeth ohonot ti,
Ac er mwyn i'n bywydau ddwyn ffrwyth mewn gweithredoedd
da.

Dduw Dad, arweinydd pererinion pob oes,
Diolchwn am bob cyfle eleni i deithio
I hen gyrchfannau, a mannau newydd.
Gweddïwn am ddiogelwch ar ein taith,
Ac am dy gariad yn ein calon
Wrth inni gwrdd â chyfeillion hen a newydd.
Agor ein meddyliau i werthfawrogi pobl sy'n wahanol i ni
Ac arferion sy'n ddieithr i ni
Er mwyn i ni gael ein cyfoethogi ganddynt.
Arwain ni bob un, O! Dduw, i fannau newydd yn ein profiad
ysbrydol.
Arwain ni o sicrwydd ddoe i fenter yfory.
Gwared ni rhag yr hyn sy'n ein dal yn ein hunfan,
A rhyddha ein traed i ddilyn priffordd dy ewyllys.

**Yr adeg hon o'r flwyddyn, gyda phlant a phobl ifainc, a
phobl o bob oed sy'n hyfforddi, yn wynebu arholiadau,
gweddïwn drostynt yn eu pryder:**

O! Dduw, ein Tad nefol, ein cysurwr a'n gobaith,
Gweddïwn arnat i gynorthwyo pawb sy'n pryderu:

Cofiwn yn arbennig am y rhai hynny sy'n wynebu arholiadau
Gan ofyn iti eu cynorthwyo i ddarganfod cydbwysedd
Rhwng gwaith a gorffwys,
A'u cynorthwyo mewn iechyd ac mewn hyder
I wneud eu gorau dan bwysau'r dydd.
Cynorthwya bob un ohonom i gofio
Fod dy gariad tuag atom a'r gwerth rwyt ti'n ei roi arnom
Yn bwysicach na phrofion a safonau'r byd.
Cofiwn am bawb sy'n ansicr ynglŷn â'u cynlluniau i'r dyfodol,
Gan ofyn iti eu cynorthwyo i ymddiried y cyfan i'th ofal di.

Yr adeg hon o'r flwyddyn, gyda'r plant ar wyllau o'r ysgol, gyda phrysurdeb ar y ffyrdd ac ar y ffermydd, gweddïwn am ddiogelwch pob un:

O! Dduw, ein Tad nefol, ein craig a'n hamddiffynfa gadarn,
Gweddïwn arnat i'n diogelu yn ystod misoedd yr haf:

Diogela'r plant a'r bobl ifainc
Gan roi iddynt synnwyr cyffredin yn eu chwarae.
Diogela'r modurwyr ar eu taith
Gan roi iddynt bwyll ac amynedd wrth yrru.
Diogela'r amaethwyr ar y tir gyda'u peiriannau trwm,
Gan roi iddynt bwyll a doethineb yn eu gwaith.

Dyro i bawb ohonom, ein Tad nefol,
Ddoethineb i wybod terfynau'n gallu,
Gostyngeiddrwydd i gydnabod ein blinder,
Ac amynedd a phwyll gyda phobl ac amgylchiadau ar daith bywyd.
Er mwyn ein diogelwch a diogelwch eraill
Cadw ni rhag pob temtasiwn i ruthro, i gystadlu,
I geisio ennill y blaen neu i geisio cyflawni'r amhosib.
Dyro i ni deithio a gweithio'n ddiogel yn dy gwmni di.
Gofynnwn hyn yn enw Iesu. Amen.

Casi Jones

Diolchgarwch

Darlleniad   Genesis 1, 1-31

Molwn di, O! Arglwydd,
Am dy gynllun sydd uwchlaw'r cwbwl,
Am dy drefn sydd yn sail i bopeth sydd,
Am dy fwriad cariadus a roddodd gychwyn i fywyd:
Diolchwn i ti!

Molwn di, O! Arglwydd, ffynhonnell popeth sydd,
Am ryfeddod y bydysawd a greaist,
Am y sêr a'r planedau,
Am ddyfnderoedd yr eangderau:
Diolchwn i ti!

Molwn di, O! Arglwydd, creawdwr nef a daear,
Am y creaduriaid a roddaist i'n byd:
Am geinder adenydd y pili-pala,
Ac am groen gwydn yr eliffant,
Am bopeth sy'n hedfan neu'n troedio, yn ymlusgo neu'n nofio,
Yn yr awyr, ar y tir ac yn y môr:
Diolchwn i Ti!

Maddau i ni fel dynoliaeth:
Am amharchu'r hyn a greaist,
Am lygru'r hyn a wnaethost yn lân,
Am ladd yr hyn y rhoddaist fywyd iddo.
Gad inni weld o'r newydd
Mai eiddot ti yw'r ddaear a phopeth sydd.

Molwn di, O! Arglwydd, creawdwr pobloedd y ddaear,
Am i ti wneud pob un ohonom ar dy ddelw dy hun
Gyda synhwyrau a theimladau i werthfawrogi dy roddion.
Am ymennydd i feddwl, calonnau i garu,
Ac anian greadigol i fedru cyfrannu i gymdeithas:
Diolchwn i ti!

Maddau i ni fel dynoliaeth:
Am ormesu ein gilydd, am bob trais a rhyfel,
Pob meddwl, pob gair, pob gweithred
Sy'n bychanu, sy'n brifo, sy'n lladd.
Gad inni weld o'r newydd werth dy ddelw ym mhawb.

Molwn di, O! Arglwydd, cynhaliwr popeth byw,
Am gyfoeth dy gynhaeaf eleni eto,
Am gnwd y ddaear, am ffrwythau'r llwyni a'r coed,
Am silffoedd llawn y siopau ac am fara ar ein bwrdd:
Diolchwn i ti!

Maddau i ni yn y Gorllewin ein hunanoldeb a'n hannoethineb
Fel stiwardiaid dy gynhaeaf di.
Maddau inni mewn byd o ddigonedd
Fod llawer yn llwgu.
Maddau inni mewn byd cyfoethog
Fod llawer yn dlawd.
Wrth inni ddiolch, heddiw, gwna ein diolch yn rhannu,
Er mwyn i eraill fwynhau dy gariad a'th haelioni di.

Molwn di, O! Arglwydd ein Gwaredwr,
Am anfon dy Fab, Iesu Grist, i'n byd.
Am iddo ddod fel un ohonom er mwyn inni ddod yn debycach iddo,
Am iddo farw drosom ac atgyfodi er mwyn i ninnau gael bywyd yn
    ei enw:
Diolchwn i ti!
Cynorthwya ni i fyw yn ei gariad,
I gyhoeddi ei faddeuant
Ac i weithio drosto drwy gydol ein hoes.
Gofynnwn hyn yn ei enw ef. Amen.

Casi Jones

Yr Hydref

Darlleniad   **Salm 96**
Mathew 2, 1-10

Ein Tad, dyma ni unwaith eto wedi troi tudalen, ac yn cychwyn mis newydd gyda diolch i ti. Mis Hydref gyda'r traddodiad o gynnal gŵyl - gŵyl i'r ysgol, gŵyl y gweithiwr a'r capel, gŵyl y teulu. Pâr inni werthfawrogi dy haelioni mawr, dy drefn, y cread a'r prydferthwch. Annigonol yw geiriau i fynegi'n llawn ein gwerthfawrogiad o'r cyfrifoldeb a'r breintiau a osodaist arnom ni. Helpa ni, O! Dad dwyfol, i allu mynegi ein diolchgarwch mewn darlleniad, mewn cân ac mewn myfyrdod tawel. Canys i ti yn unig y bydd y clod, y mawl a'r gogoniant. Cawn ein hatgoffa fel yr wyt ti yn dy drefn wedi rhoi pedwar tymor i'r flwyddyn. Dyma fel y cawn ein hatgoffa gan yr emynydd:

> 'O! deued pob creadur byw
> I demel Dduw i gofio
> Ei drugareddau rif y gwlith
> Rhown fendith ddidwyll iddo.'

Boed i ni, O! Dad nefol, sylweddoli mor fregus yw bywyd, fel mae'r Salmydd yn ein hatgoffa:

> 'Canys pob cnawd fel glaswelltyn yw, a holl ogoniant dyn fel blodeuyn y glaswelltyn. Gwywodd y glaswelltyn a'i flodeuyn a syrthiodd; eithr gair yr Arglwydd sydd yn aros yn dragywydd.'

Cytunwn, ein Tad, mai ti sy'n ein cynnal a'n cadw'n fyw. Clodforwn dy enw am roddi mor hael dy gariad a'th gyfoeth i'r truan a'r gwael. Ceisiwn drwy gyfrwng ein haddoliad ddiolch i ti am bob gofal, cymwynas a charedigrwydd i'r rhai sy'n fyr o'n breintiau yn ein cymdeithas, cyfeillion fydd yn wynebu cyfnod y diolchgarwch gyda'u teimladau'n gymysg. Helpa ni i ymddiried fwy a mwy ynot ti. Mae angen bendithion y ddaear a'r nef arnom ni oll. Tywallt, felly, dy Ysbryd Glân gan anfon y 'Gwir Ddiddanydd yma i lawr i aros gyda ni'.

Cyflwynwn i ti, ein Tad, ysgolion a cholegau ein gwlad, wrth iddynt hwythau, fel yr eglwysi, ddechrau ar raglen newydd o waith a chyfle i gyfoethogi eu profiad o fywyd. Yn unol â'n darlleniad cofiwn mai ein prif waith yw cyhoeddi gyda diolch dy fendithion a'th ryfeddodau i ni. Felly, helpa ni i anrhydeddu a mawrygu pob peth a roddaist i ni, a gad inni ddwyn offrwm mewn mawl a diolch o Sul i Sul. Yn bennaf oll, gad inni ddiolch i ti am Iesu Grist, pentywysog ein ffydd.

Gwna ni oll yn ddiolchgar am gael mwynhau bywyd a'i fendithion, a maddau inni bob hunanoldeb, rhagrith a diffyg tosturi. Maddau bechod dynion sy'n rheibio dy fyd ac yn peri i'r ddaear gael ei cham-drin. Maddau i ddynion sy'n methu trefnu dy roddion ac yn fynych yn gwrthod rhannu a helpu eraill sydd mewn angen. Dymunwn dyfu'n gryf a chadarn o gorff a meddwl, ac yn lân ein calon, er cael yr anrhydedd o weithio dros Iesu Grist yn y byd. Gwyddom ei fod ef yn galw ar ei weithwyr, gwna ninnau'n barod ar gyfer ei alwad, gan gofio mai ef yw Gwaredwr y byd. Rhoddodd ei hun drosom ar Groes Calfaria; dyro dy help i ninnau roddi ein hunain yn aberth byw drosto. Gwna ni, ein Tad, yn deilwng o bopeth a gawn gennyt, ac yn bennaf yn deilwng o gariad ac aberth Iesu Grist.

> 'Mae'r cynhaeaf yn aeddfedu
> Ym mhob ardal is y nef,
> Ac fe gesglir llafur Iesu,
> Gwerthfawr ffrwyth ei angau ef.'

Bu dy roddion i ninnau yn ddefnyddiol a phrydferth, ac yn yr hydref fe gofiwn:

> 'Gwynt yr Hydref ruai neithiwr,
> Crynai'r dref i'w sail,
> Ac mae'r henwr wrthi'n fore'n
> Sgubo'r dail.'

Diolchwn am ogoniant yr hydref a'n ceidw rhag bod yn ddigalon yn oerni'r gaeaf. Diolchwn. Amen.

Carys Ann

Adfent

Darlleniad   **Luc 12, 35-48**
                       Salm 67

Duw hollalluog, sanctaidd a thrugarog wyt ti, yr hwn sy'n ymweld â'th blant mewn goleuni a gobaith. Llewyrcha dy wyneb arnom a thrugarha wrthym, dyrchafa dy wyneb tuag atom a rho i ni dy dangnefedd. Tywys ni unwaith yn rhagor drwy'r wythnosau sydd yn arwain at Ŵyl y Geni. Gad inni ddeall neges yr Adfent er mwyn inni adnabod y ffordd sy'n arwain at waredigaeth dy holl blant. Boed i ni, yng ngeiriau'r Salmydd, arwain ein myfyrdodau at ddeall cyflawn ohonot ti:

'Bydded i'r bobloedd dy foli, O! Dduw; bydded i'r holl bobloedd dy foli di; bydded i'r cenhedloedd lawenhau a gorfoleddu oherwydd yr wyt ti yn barnu pobloedd ac yn arwain cenhedloedd ar y ddaear'.

Diolch felly am dy arweiniad i ni heddiw yng Nghymru. Er mai cenedl fechan ydym mae yma dystiolaeth i waith a chenadwri dy seintiau fel y daethost gynt i ddwyn gobaith a goleuni i'n byd. Tyrd heddiw at bawb sydd mewn angen am dy ras a'th gariad, dy gwmni a'th gysur; gwna dy eglwysi'n fyw ac yn effro i anghenion dy bobl ymhob man; helpa ni i gyflawni dy waith ac i faddau pob diffyg a bai drwy gariad Iesu Grist. Cyfnod o ddisgwyl a pharatoi yw'r Adfent. Trwy gyfrwng y Beibl, arwain ni i ddeall drwy ddarllen dy fwriad a'th ewyllys ar gyfer ein cenedl.

Trwy weledigaeth y proffwyd yn cyhoeddi dyfodiad yr Arglwydd, wele ninnau hefyd yn llawn gobaith a ffydd y bydd yr holl baratoi yn ystod yr Adfent yn dwyn ffrwyth a bendith. Y mae gobaith yr Adfent yn dod â ni'n nes mewn ysbryd a gwaredigaeth yn nyfodiad ein Harglwydd Iesu Grist, yr hwn a orchfygodd bechod ac angau. Cytunwn yn llwyr â'r emynydd pan ddywedodd,

'Ymhlith holl ryfeddodau'r nef,
Hwn yw y mwyaf un
Gweld yr anfeidrol ddwyfol Fod
Yn gwisgo natur dyn.'

31

Clyw gri ein calonnau wrth i ni yn wylaidd ofyn i ti ein harwain yng ngrym yr Ysbryd Glân i fod â'n calonnau'n agored i dderbyn Iesu Grist i'n bywyd.

Diolchwn i ti, ein Tad nefol, am dy gariad tuag atom yn danfon Iesu Grist i'n byd. Boed inni deimlo llawenydd ei ddyfodiad ef i'n byd. Boed inni deimlo effaith ei gyfeillgarwch a'i arweiniad ar ein bywyd fel y gallwn ddweud:

> 'Pan allan awn i'r byd,
> I waith a'i flinder croes,
> Bydd di, O Dduw, gerllaw bob pryd
> I'n nerthu drwy ein hoes.'

Diolchwn i ti am dy rodd fwyaf i'n byd yn dy uniganedig Fab, Iesu Grist. Diolchwn am y cwbl a gyflawnaist trwyddo. Cofiwn am dy anrheg werthfawrocaf i'n byd, y baban a aned mewn preseb ym Methlehem Jwda. Wrth i ni ganu carolau yn yr wythnosau nesaf, caniatâ i bob un yn y byd ganu cân o foliant i ti. Cynorthwya ni ynghanol yr Adfent i roddi ein calonnau iddo ef, a gofynnwn i ti ein helpu i fyw'n llwyr i'n Harglwydd Iesu Grist. Credwn dy fod yn falch ein bod yn dy geisio a gwyddom yn dda dy fod yn chwennych gwneud dy gartref yn ein calon. Pa anawsterau a phroblemau bynnag sy'n ein hwynebu yr awr hon, credwn nad edrych ar ein corff a wnei, oherwydd er dy fod yn bwriadu i bawb gael corff glân a di-nam, nid pawb a gaiff. 'Trig o fewn ein calon, Frenin nef a llawr', fel y byddo ein hysbryd a'n teimladau, ein bwriadau a'n gweithredoedd yn iach a di-nam.

Diolchwn i ti, ein Tad tirion, am bob daioni ac yn bennaf am y daioni pennaf a roddwyd inni, sef Iesu Grist. Diolchwn i ti am yr esiampl brydferth a dderbyniasom ganddo; cynorthwya ninnau i garu ei ddysgeidiaeth a dilyn esiampl ei ddaioni ef yn ein bywyd ac yn ein heglwysi. Llawenychwn fod dy Eglwys yn uno pobl yn un teulu mawr i ti dros y byd. Gweddïwn ar i'r byd roi cyfle i'th Eglwys di ddangos y cariad sydd yn Iesu Grist, a boed i ninnau ein rhoddi ein hunain yn dy law fel y gallwn dy wasanaethu'n well. Amen.

Carys Ann

Y Nadolig

Darlleniad   **2 Samuel 23, 14-17**
                               Eseia 9, 1-7

Ein Tad, yr hwn wyt yn y nefoedd, diolch am dy rodd amhrisiadwy i'th blant y Nadolig hwn, sef Iesu Grist ein Harglwydd. Diolchwn am y gofal tymhorol a fu drosom. Dymunwn ddiolch i ti am 'y Gair a wnaethpwyd yn gnawd ac a rodiodd yn ein plith yn llawn gras a gwirionedd'. Gweddïwn yn arbennig dros holl blant y byd; dyhëwn am eu gweld yn eiddo i ti dy hun. Dyro iddynt dy ras a'th burdeb i fod yn ufudd a ffyddlon i ti. Boed i holl lafur a chariad yr Ysgol Sul ddwyn ffrwyth fel y byddont yn prydferthu dy winllan di ac yn perarogli. Bendithia gartrefi dy blant fel y byddant yn ffynnu yng nghariad Iesu Grist ac yn cysegru eu bywyd i'th wasanaeth di. Arwain blant a'u rhieni ar hyd llwybrau bywyd a boed iddynt adnabod Iesu Grist yn Arglwydd ac yn Waredwr eu bywyd.

Y Nadolig hwn, bydded i'r holl fyd, O! Dad, amgyffred o'r newydd dy gariad dwyfol a welwyd gynt mewn preseb. Dangos i ni dy oleuni megis i'r bugeiliaid gynt ac arwain ninnau hefyd ar hyd y llwybr fel y gallwn ninnau ddwyn rhodd i'r baban Iesu. Rho i ni'r llawenydd gynt, cynnal di ein bywyd bregus a brysied y dydd pan fydd ein heneidiau'n teimlo grym dy iachawdwriaeth. Cyffeswn fod Crist fel Goleuni a Gwaredwr yn y byd; rho inni brofi'r heddwch hwnnw na all dim ei ddinistrio; datguddia dy hun o'r newydd inni'r Nadolig hwn yn dy gariad mawr a ddatguddiaist yn Iesu Grist. Maddau bob hunanoldeb a phechod sydd wedi llygru'r ddelwedd ac wedi ein pellhau ni oddi wrth dy ewyllys yma ar y ddaear.

'Bydded i ymadroddion ein genau a myfyrdod ein calon fod yn gymeradwy ger dy fron di, O! Dduw, ein craig a'n prynwr.'

> 'O codwn ninnau lef
> Ar ei Nadolig ef,
> Yn ddiolch i Fab Duw
> Am ddod i'n byd i fyw.'

Cofia holl bobloedd y byd, yn arbennig y rhai na fydd yn dathlu'r Nadolig fel y rhan fwyaf. Cofiwn am y difreintiedig, a'r rhai a orthrymir yn fynych am eu bod yn anwybodus. Cofia dy Eglwys yn ei hamcan i fod yn gyfrwng i'th Ysbryd di weithio yn y byd, ac i ddysgu dy feddwl i ddynion gan wneud pawb yn ddeiliaid teilwng o deyrnas yr Arglwydd Iesu Grist. Cofia hi hefyd yn ei rhaniadau. Cofiwn am lawer fydd yn dod at ei gilydd dros y Nadolig yn enw Iesu Grist i geisio arweiniad, pe na baent ond dau neu dri. Dyro iddynt deimlo mor hyfryd yw i frodyr drigo ynghyd, ac mai i'r cyfryw rai y daw'r fendith a ddyfarnodd yr Arglwydd y fendith fwyaf, sef Bywyd Tragwyddol. Una ni ynot ti, ein Tad. Sancteiddia ni trwy dy wirionedd. Arwain ni i oleuni dy wyneb fel y gorfoleddo pawb yn dy iachawdwriaeth.

Dyro inni'r nerth a'r awydd dros gyfnod y Nadolig, O! Arglwydd, i wneud rhyw ddaioni yn ein cylch ein hunain, yn ein cartref neu yn ein heglwys. Cynorthwya ni i wneud rhywbeth drosot wrth wneud dy waith. Gwna ni'n gryf a gwrol i weithio yn erbyn pechod, ac i ddweud yn hyderus ein bod yn perthyn i ti.

'Dysg im weddïo'n iawn,
A dysg fi'r ffordd i fyw,
Gwna fi yn well, yn well bob dydd,
Fy mywyd, d'eiddo yw.'

Erfyniwn arnat, drugarog Dad, i'n tywys a'n harwain ninnau, fel bod ein bywyd yn fendith i eraill ac yn ogoniant i ti. Yng nghanol ein mwyniant dros y Nadolig na foed i'r un ohonom anghofio pwrpas ein dathlu, sef bod Iesu Grist wedi dyfod i'n byd. Dyro i ninnau galon y bydd Iesu Grist yn trigo ynddi, a dyro nerth inni ailgydio o'r newydd dros y Nadolig yn ein brwdfrydedd i'th wasanaethu di fel Arglwydd a Gwaredwr. Dyro inni brydferthwch y galon lân sy'n eiddo i Iesu. Dymunwn gofio am anogaeth gyson yr Apostol Paul ar i ni 'wisgo amdanom yr Arglwydd Iesu Grist'. Ef yw'r wisg harddaf y gallwn ei gwisgo. Gwna ni'n barod i wisgo cyfrifoldeb arweinwyr, os gelwir ni i hynny. Cadw ein hysbryd yn ostyngedig, ein cariad at ddynion yn gynnes a'n camre yn dy ddeddfau. 'Wele ni, anfon ni.' Amen.

Carys Ann

Diwedd Blwyddyn

Darlleniad   **Llyfr y Pregethwr 3, 1-8**
Actau 1, 1-11

O! dragwyddol Dduw ein Tad, gogoneddwn dy enw mawr. Diolch i ti am dy holl ddaioni tuag atom, ac yn enwedig ar derfyn blwyddyn fel hyn. Diolch i ti am dy ras; diolch am athrawon; diolch am ffyddloniaid a'th genhadon yn dy eglwys; diolch am bob dyfalbarhad ac amynedd i ddatblygu'n aelodau da o'th gymdeithas a chael cyfle drwy Iesu Grist i fod yn ddeiliaid teilwng o'th deyrnas di. Dyro i ni'r awydd a'r arweiniad drwy gyfrwng ein haddoliad i gydnabod mai tydi sydd wedi ein cadw bob amser mewn iechyd meddwl a chorff. Duw pob gras a gwirionedd wyt ti; hebot ti ni wnaethwn ddim.

Mewn gwir edifeirwch erfyniwn am dy faddeuant am ein holl anffyddlondeb a'n diffyg ymroddiad yn ystod y flwyddyn a aeth heibio. Tosturia wrth bob un ohonom a 'dyro i ni nerth yn ôl y dydd, a'th olau ar hyd llwybrau ffydd'. Ti yw ein creawdwr a'n cynhaliwr. Dysg ni i ymddiried yn llwyr ynot a gwna ni'n wir ddisgyblion i'th annwyl Fab dy hun, Iesu Grist, drwy nerth yr Ysbryd Glân. Arwain ni ar y ffordd i werthfawrogi a charu cymdeithas ein gilydd; cynorthwya ni i ddiogelu cyfiawnder, cyfle, a chyfraniad dy efengyl sanctaidd.

Moliannwn di, O! Dduw, am yr etifeddiaeth a ddaeth i ni o'r gorffennol, ac am holl lafur y rhai a fu'n llafurio'n ddiwyd yn dy winllan. Amlheaist dy gariad drwy eu llafur, eu ffydd a'u deall; gwna ninnau'n gyffelyb iddynt i ddiogelu'r ffydd Gristnogol. Bendithia ni heddiw, y rhai sy'n ceisio'r ffordd newydd, i agor ac i wella ansawdd ein bywyd. Goleua ein llwybrau; prydfertha ein bywyd; gwna ni'n fwy tebyg i Iesu Grist, yn byw gan lwyr gysegru'n bywyd i'th wasanaethu di, ein Duw. Gwerthfawrogwn yn fawr bob peth a phob profiad a gawsom yn ystod y flwyddyn a aeth heibio. Na foed arnom gywilydd o efengyl Iesu Grist, canys dy ewyllys di yw ein hiachawdwriaeth. Gad i ni gloi'r flwyddyn mewn gwir ddiolchgarwch. Arwain ni'n ddiogel i gamu i'r flwyddyn newydd gan ymdawelu a myfyrio ar dy ewyllys ac i gyfrif dy wasanaeth di'n fraint ac yn fendith.

Cynorthwya ni ar ddiwedd blwyddyn i wneud addewidion personol ac i ymdrechu i fod yn debycach i'n Harglwydd. Yng ngeiriau'r emynydd:

'O! na bawn yn fwy tebyg
I Iesu Grist yn byw,
Yn llwyr gysegru 'mywyd
I wasanaethu Duw,
Nid er ei fwyn ei hunan
Y daeth i lawr o'r ne,
Ond rhoi ei hun yn aberth
Dros eraill wnaeth Efe.'

Gofynnwn am i ti roddi dy gwmni i'r rhai sy'n glaf. Dangos iddynt na chânt byth eu siomi ynot ti, os ceisiant dy gymorth. Bydd yn nerth iddynt, Arglwydd, ac yn gwmni yn eu dioddefaint, a gad iddynt deimlo dy fod ti'n agos iawn atynt. Cynorthwya ni, pa brofiadau bynnag a ddaw i'n rhan, i aros yn ffyddlon i ti. Cynorthwya ni i oddef unrhyw siom yn wrol, a dangos inni sut i feithrin hapusrwydd a gwroldeb. Cymer ni i'th ofal, Arglwydd, a gwna waith mawr trwom ac ynom.

Cadw ni'n agos at Iesu a llanw ein calonnau â'i Ysbryd ef. Diolchwn i ti am roddi dy Fab i'n byd, am ei aberth fawr ef dros ein pechodau ar Galfaria ac am ei atgyfodiad rhyfeddol o'r bedd yn fyw:

'Ni allodd angau du
Ddal Iesu'n gaeth
Ddim hwy na'r trydydd dydd -
Yn rhydd y daeth ... '

I ti y byddo'r clod, y parch a'r bri. Maddau ein holl bechodau - disgyn ganwaith i'r un bai yr ydym. Ar ddiwedd blwyddyn, cryfha ein ffydd ac arwain ni yn dy law i'r flwyddyn newydd yn llawn gobaith. Gofynnwn y cwbl yn enw ac yn haeddiant Iesu Grist ein Harglwydd. Amen.

Carys Ann

Sul Addysg

Darlleniad   **1 Corinthiaid 2, 1-16**

Trwy'r Ysbryd Glân sy'n plymio i ddyfnderoedd pob peth, hyd yn oed ddyfnderoedd Duw, datguddiwyd i ni'r cwbl a ddarparodd Duw ar gyfer y rhai sy'n ei garu.

Diolch i ti, O! Dduw ein Tad, am dy ddoethineb anhunanol yn anfon dy Ysbryd Glân i ddwyn trefn o anhrefn, goleuni o dywyllwch, bywyd o farwolaeth. Molwn dy enw am i'r Ysbryd doeth hwn gyniwair drwy'r byd ar hyd yr oesoedd, gan gynnal popeth byw trwy rym dy Air di. Bendigwn dy enw ar i'r Gair hwn ddod yn gnawd ac amlygu doethineb yr Ysbryd yng Nghrist Iesu. Yn ei ymwneud ef â'i gyd-ddynion, adlewyrchwyd doethineb y berthynas sy'n bodoli rhwng y Tad a'r Mab a'r Ysbryd Glân.

Ac yntau'n ddeuddeng mlwydd oed, gwyddai Iesu ei fod yng ngŵydd ei Dad nefol pan eisteddai yng nghanol yr athrawon. Holai hwynt yn ogystal â gwrando arnynt. Diolchwn i ti, O! Dduw, am yr awydd a'r rhyddid i holi ac ymchwilio sy'n rhan o'n profiad ninnau hyd heddiw. Wrth inni ymhyfrydu yn dy fyd di, gad inni ddysgu rhyfeddu at dy greadigaeth wyrthiol di. Ym mhob ymchwil, agor ein llygaid i weld ôl dy law di; ac ym mhob darganfod, pâr inni arddel dy ewyllys adeiladol di. Maddau i ni am droi addysg ac ymchwil yn foddion difa a dinistrio mor aml. Diolch i ti am bob darganfyddiad a fu'n gyfrwng bendith i'th bobl trwy hyrwyddo iechyd, cyfathrebu, a pherthynas dda rhwng pobloedd a chenhedloedd.

Gweddïwn heddiw dros bawb sy'n ymwneud ag addysg. Fel y cafodd Iesu ei roi ar ben ei ffordd yn ei gartref yn Nasareth, gweddïwn am i gartrefi'n gwlad a'n byd fod yn aelwydydd i hyfforddi cenhedlaeth arall a fydd yn ymhyfrydu yn dy oleuni di ac yn gweld gwerth yn y newyddion da am dy gariad di-ben-draw di. Gweddïwn dros athrawon a disgyblion ein hysgolion lleol a thros ddarlithwyr a myfyrwyr pob coleg a phrifysgol. Agor eu llygaid i weld ehangder y weledigaeth sy'n rhychwantu bywyd cyfan ym meddwl a buchedd Iesu Grist. Gad iddynt weld nad rhoi mantais iddynt gystadlu ac ymelwa ar draul eraill mo addysg ond cyfle iddynt ddysgu byw ynghyd fel aelodau o un gymdeithas ac un byd.

Gweddïwn am i ni ar hyd ein hoes amlygu'r agwedd meddwl honno sy'n eiddo i ni yng Nghrist Iesu. Fe'i darostyngodd ef ei hun gan fod yn ufudd hyd angau - ie, angau ar groes. Rho nod y Groes ar ein haddysg, tor grib ein balchder a galluoga ni i ddefnyddio addysg i glywed cri y gwan, i synhwyro poen y trallodus, i godi baich y gorthrymedig, i sicrhau rhyddid i'r caeth, cyfiawnder i'r cystuddiedig, a heddwch i'th holl bobl di. Gweddïwn am i'r unig ddoeth Dduw, trwy ei Ysbryd Glân, roi inni feddwl y Crist croeshoeliedig ac atgyfodedig ynghanol twyll a hunanoldeb y byd. Yng ngoleuni dy gymdeithas berffaith di, Dad, Mab ac Ysbryd Glân, y gwelwn ninnau wir oleuni. Amen.

Saunders Davies

Sul y Beibl

Darlleniad **Eseia 55, 6-11**
Rhufeiniaid 15, 4-13

O! Arglwydd ein Duw, sydd mor agos atom, diolchwn i ti am wahoddiad dy Air i alw arnat mewn gweddi. Ond inni dy geisio di, fe allwn dy gael, oherwydd yr wyt ti'n ein ceisio ni eisoes ac yn galw arnom. Yng nghanol tryblith ein hoes, diolch i ti am ein sicrhau nad ydym ar drugaredd ein syniadau a'n meddyliau ni ein hunain. Fe'n rhybuddiaist nad yr un yw dy feddyliau di â'n meddyliau ni, na'th ffyrdd di â'n ffyrdd ni. Agor ein llygaid i weld dy ffordd di, a'n calonnau i ymglywed â'th feddyliau di, yn Iesu Grist.

Gwared ni rhag ymhyfrydu yng ngeiriau'r ysgrythur yn unig. Pâr inni gofio mai tystiolaethu am dy annwyl Fab, Iesu Grist, y mae'r ysgrythurau, a'th fod yn ein gwahodd i ddod ato ef i gael bywyd yn nerth yr Ysbryd Glân. Ynot ti, O! Drindod Sanctaidd, y gorwedd ein hunig obaith.

Sylfaenwn ein gobaith ar sail dy gyfamod â'th bobl yn y gorffennol. Fe fuost ti'n Dduw iddynt hwy, a hwythau'n bobl i ti o genhedlaeth i genhedlaeth. Mawrygwn dy enw am y rhai a groniclodd stori dy berthynas di â hwy yn yr ysgrythurau. Er iddo fentro allan o'i filltir sgwâr, ni siomwyd Abraham am roi ei ffydd ynot ti. Fe fendithiaist ti ef er mwyn iddo yntau a'i blant ddwyn bendith i'r byd. Diolchwn i ti am y fendith fwyaf a welodd ein hil yn Iesu Grist ein Harglwydd. Trwyddo ef rhoddaist gychwyn newydd i hanes y ddynoliaeth. Er gwaethaf eu holl gyfeiliorni, fe dderbyniaist ti ein cyndeidiau yn ôl yn Iesu Grist. Cawsant brofiad ohono ef yn mynd i ganol yr anialwch i chwilio am y colledig a'u dwyn yn ôl i gymundeb â thi ac â'i gilydd.

O ddarllen am wyrth dy allu mawr i gymodi gelynion yn y gorffennol, trwy Iesu Grist, seiliwn ein gobaith arnat ti, ffynhonnell gobaith, i'r dyfodol. Ymddiriedwn yn dy addewid na fydd dy Air yn dychwelyd atat heb ddwyn ffrwyth lawer. Diolchwn i ti am anogaeth yr ysgrythurau i ddal ein gafael yn ein gobaith yn wyneb pob tramgwydd a siom. Yng nghymdeithas dy Ysbryd Glân, galluoga ni i fod yn gytûn, yn ôl ewyllys Crist Iesu. Fel y derbyniodd ef ni, a ninnau'n bechaduriaid, cynorthwya ni i dderbyn ein gilydd, i ymhyfrydu yn amrywiaeth ein gilydd, sy'n dadlennu dy ogoniant di, O! Dduw. Wedi'n hysbrydoli â'th Ysbryd Glân, gad inni dy ogoneddu di, O! Dad, a thi, O! Fab, yn unfryd ac yn unllais. Pâr i'n cymundeb â'n gilydd fod yn ddrych o gymundeb y Tri yn Un ac yn rhagflas o'th addewid yn dy Air y gwelir yr holl genhedloedd a'r holl bobloedd yn dyblu'u mawl yn un symffoni fawr, nes bod y greadigaeth gyfan yn adleisio dy gynghanedd dwyfol di. Hyn yw'r dyfodol gwynfydedig a addewaist i ni yn dy Air sy'n cadarnhau dy addewidion i'r tadau.

Bydded i ti, O! Dduw, ffynhonnell gobaith, ein llenwi â phob llawenydd a thangnefedd wrth inni ymarfer ein ffydd yng Nghrist, nes ein bod, trwy nerth yr Ysbryd Glân, yn gorlifo â gobaith. I Dduw y byddo'r mawl am ei Air creadigol ac am amlygu'r Gair hwnnw yng Nghrist Iesu a'i sibrwd yn ein calonnau ni trwy'r Ysbryd Glân. Amen.

Saunders Davies

Sul y Gwahanglwyf

Darlleniad   Luc 5, 1-16

O! Dduw ein Tad, deuwn ger dy fron yn enw dy Fab a estynnodd ei law a chyffwrdd â dyn gwahanglwyfus. Er ei fod yn llawn o'r gwahanglwyf, nid ymataliodd rhag cyffwrdd ag ef. Trwy ei gyffyrddiad iachusol, fe iachawyd cnawd y gwahangleifion.

Llawenhawn, O! Dad, am i gyfeillion Iesu weithredu'r un mor fentrus hyd at ein dyddiau ni. Gogoneddwn dy enw am iti roi'r adnoddau meddygol i'th bobl fedru iacháu pob un sy'n dioddef o'r haint echrydus hwn yn ein byd heddiw. Dyro inni awydd i wneud popeth yn ein gallu i gynnal eu breichiau yn y frwydr hon. Llanw ein calonnau â thosturi a haelioni fel y gellir darparu digon o gyffuriau i gwrdd ag angen pob un sy'n dioddef rhaib y gwahanglwyf, a'i waredu o'i afiechyd blin. Gweddïwn am i'r gwledydd lle gwelir y gwahanglwyf hyrwyddo'r ffordd i'r cyffuriau meddygol hyn gyrraedd pob dinas, pob pentref a phob cartref lle bo'u hangen. Diolchwn am ymroddiad pob un a fu'n datblygu'r cyffuriau hyn a gweddïwn am dy fendith di ar bob clinig ac ysbyty sy'n trin y gwahanglwyfus. Yng ngrym cyffyrddiad Iesu byw, gwared ein byd o'r aflwydd hwn, a rho galon a genau diolchgar i bob un a iacheir.

Diolchwn i ti, O! Dad pawb oll, am feiddgarwch Iesu yn estyn ei law i gyffwrdd â'r anghyffyrddadwy. Hyd at ein dyddiau ni, bu'n duedd i neilltuo'r rhai a drawyd â'r gwahanglwyf a'u cadw ar wahân. Maddau inni am barhau'r duedd hon er i Iesu danseilio'r hen arferiad ugain canrif yn ôl. Molwn di am Iesu Grist a ddug y sawl a adawyd o'r neilltu yn ôl i gymdeithas lawn â'u cyd-ddynion. Gweddïwn yn awr dros bob un sy'n teimlo'n wrthodedig gan ei deulu neu ei gymdeithas yn ein gwlad a'n byd heddiw. Gofynnwn i ti faddau inni am fod mor barod i wahaniaethu rhyngom ni a nhw. Gwna ni'n gyfryngau hedd a chymod; helpa ni i ehangu ein cortynnau fel y medrwn gyfrif mwy a mwy o'th anwyliaid di ymhlith y 'ni'. Dilea wahanfuriau rhagfarn, cred, lliw, iaith, cenedl a hil o'n plith a dyro i ni i gyd brofiad byw o gael ein cynnwys yng nghymundeb diwarafun y Tad, y Mab a'r Ysbryd Glân.

Bendigwn dy enw nid yn unig am i Iesu roi iachâd corfforol a chymdeithasol i'r dyn gwahanglwyfus, ond am iddo roi iachawdwriaeth ysbrydol iddo. Cyffyrddodd y glân â'r aflan a'i wneud yn lân; cyffyrddodd y dwyfol â'r dynol a'i sancteiddio; cyffyrddodd yr ysbrydol â'r materol a'i gysegru; cyffyrddodd y nefol â'r daearol a'i gyfannu. Diolch i ti, O! Dad, am wyrth yr ymgnawdoliad yn Iesu Grist. I ganol ein harwahanrwydd unig fe ddaeth ef a'n dwyn i gymundeb â Duw trwy ei weddi. Molwn di am yr Ysbryd Glân sy'n ein dwyn ninnau'n awr i mewn i weddi oesol Iesu. Trwyddo ef y mae gennym ni oll ffordd i ddod, mewn un Ysbryd, at y Tad. Yn ei gnawd ei hun fe chwalodd bob canolfur gan greu un ddynoliaeth newydd wedi'i chymodi â Duw ynddo ef ei hun.

Diolch iti gynnig ein dwyn ninnau i'r ddynoliaeth newydd hon; dynoliaeth wedi'i chyfannu'n gorfforol, yn gymdeithasol, ac yn ysbrydol gan gyffyrddiad chwyldroadol ein Hiachawdwr Iesu Grist. Amen.

Saunders Davies

Sul Cymorth Cristnogol

Darlleniad   Eseia 1, 2-20

O! Arglwydd Dduw cyfiawn a theg, rwyt ti wedi'n rhybuddio trwy dy broffwyd Eseia:

'Pan ledwch eich dwylo mewn gweddi, trof fy llygaid ymaith ...'

Addefwn fod ein dwylo'n llawn gwaed; rydym yn byw ar gorn yr anghenus, yn masnachu ar draul y tlawd, yn adeiladu byd sy'n anghyfartal ac yn annheg. Maddau i ni am fethu amgyffred maint ein pechod, a'r dioddef a achosodd ein hunanoldeb hyd eithafoedd y byd. Agor ein llygaid i weld canlyniadau dinistriol ein ffordd o fyw a dyro inni benderfyniad i godi ein llais o du y gwan. Rwyt ti yn ein hannog:

'Ceisiwch farn, achubwch gam y gorthrymedig, gofalwch dros yr amddifad, a chymerwch blaid y weddw.'

Fe wnaethost ti hyn eisoes yn Iesu Grist. Fe ddaeth ef i gyflawni dyhead dy broffwyd; fe'i heneiniwyd â'r Ysbryd Glân:

'i bregethu'r newydd da i dlodion,
i gyhoeddi rhyddhad i garcharorion,
ac adferiad golwg i ddeillion,
i beri i'r gorthrymedig gerdded yn rhydd,
i gyhoeddi blwyddyn ffafr yr Arglwydd.'

Ynddo ef rwyt wedi addo y cawn ni bechaduriaid brofi ffafr yr Arglwydd:

'Pe bai eich pechodau fel ysgarlad, fe fyddant cyn wynned â'r eira ...'

Fe fodlonodd dy fab ufuddhau hyd yr eithaf; ymuniaethodd â'r digartref yn ei enedigaeth a'i weinidogaeth. Dioddefodd loes y gwrthodedig; bu fyw ar drugaredd a chardod; sychedodd am gyfiawnder; newynodd am heddwch; derbyniodd fygythiad yr awdurdodau; ni chafodd le i roi'i ben i lawr ond ar groes. Yno fe ddioddefodd ergydion ein creulondeb eithaf ni, fe brofodd ing ein dynoliaeth a gefnodd ar Dduw. Er iddo deimlo dy fod di, O! Dduw, wedi'i adael, fe'i hargyhoeddwyd nas gadawyd yn amddifad wrth iddo gyflwyno'i ysbryd i'th ofal di, O! Dad.

Er inni droi cefn ar dy fwriadau di, O! Dad, diolchwn am y sicrwydd nad wyt ti wedi'n gadael ni. Fel y mae'r ych yn adnabod y sawl a'i piau, a'r asyn breseb ei berchennog, gad i ni dy adnabod di o'r newydd fel y Duw sy'n ein tywys i ochri gyda'r tlawd, i godi llais dros yr anghenus. Gad inni ddeall beth yw hanfod dy gyfiawnder: nid cyfiawnder i ni ein hunain yn unig, ond cyfiawnder i bob un. Hyn sy'n amod heddwch i'r holl fyd.

Diolch i ti am adael gweddill ffyddlon ym mhob cenhedlaeth i dystio i'th drefn ddwyfol di. Gogoneddwn di am ysbrydoli gweithgarwch Cymorth Cristnogol ar hyd y blynyddoedd. Gweddïwn dros y cyfarwyddwyr a phob aelod o'r staff.

Yn anad dim, dwysbiga ein cydwybod â'r gwirionedd fod dyn yn rhy fawr i gardod. Nid cardod ond cyfiawnder yw dy ewyllys di i bob cenedl ac unigolyn. Dyro inni'r dewrder i annog arweinwyr ein gwlad a holl wledydd y byd i roi lle i'th economeg gyfiawn di. Rwyt ti'n gwrthwynebu trachwant y trahaus ac yn bwriadu i adnoddau dy fyd gael eu rhannu'n deg ymhlith holl bobloedd dy fyd. Rho weledigaeth newydd i arweinwyr ein byd o'th fwriad daionus di. O ufuddhau, caiff pawb fwyta o ddaioni'r tir; o wrthod a gwrthryfela yn erbyn dy ewyllys, fe'n difrodir gan drais anochel ein hunanoldeb ni.

Gwared ni, gwared dy fyd, O! Dad cyfiawn a theg, trwy Iesu Grist, ac yntau'n gyfoethog, a ddaeth yn dlawd drosom ni, er mwyn i ni ddod yn gyfoethog trwy ei dlodi ef. Amen.

Saunders Davies

Sul yr Urdd

Darlleniad 1 Ioan 2, 7; 4, 5-17

O! Dduw, ein Tad, gweddïwn gyda'r Salmydd:

'Bydded ein meibion fel planhigion yn tyfu'n gryf yn eu hieuenctid, a'n merched fel pileri cerfiedig mewn adeiladwaith palas.'

Yn ôl dy Air, fe roddaist ti le amlwg i brydferthwch a chryfder yr ifanc i harddu a chyfoethogi cymdeithas dy bobl ym mhob cenhedlaeth.

Molwn di, O! Dduw, am iti anfon dy Fab i'n byd fel plentyn bychan. Roedd dy fendith di arno wrth iddo gynyddu mewn doethineb a maintioli, ac ennill calon ei gyfoedion fel llanc ifanc. Ac yntau newydd adael cartref a chael ei fedyddio, fe ymhyfrydaist ti ynddo fel dy annwyl Fab. Fe gasglodd ef ddwsin o gymdeithion ifainc o'i gwmpas a rhoes iddynt weledigaeth gyffrous o'th fwriadau pellgyrhaeddol di ar gyfer dy fyd. Er iddynt gefnu arno yn awr ei argyfwng, fe agorwyd eu llygaid i adnabod Iesu fel y Gwaredwr ifanc a oedd yn gwneud pob peth yn newydd.

Diolch i ti am greu'r Eglwys i fod yn gnewyllyn y ddynoliaeth newydd hon. Fe'i bendithiaist â theuluoedd cyfiawn ac ag arweinwyr ifainc. Ynddi hi fe gafodd y plant brofiad ohonot ti, O! Dduw, fel Tad. Agorwyd llygaid ei phobl ifainc i weld eu bod yn gryf am fod dy Air di yn aros ynddynt ac yn galluogi iddynt orchfygu'r un drwg. Fe'u diddyfnwyd o drachwant y cnawd a balchder mewn meddiannau trwy roi eu bryd ar y pethau arhosol, trwy wneud dy ewyllys di, O! Dduw.

Molwn dy enw heddiw am rieni ac arweinwyr ieuenctid sy'n adnabod yr hwn sydd wedi bod o'r dechreuad ac yn aros am byth. Diolchwn yn arbennig am sylfaenwyr ac arweinwyr presennol yr Urdd a roes eu gwasanaeth yn ddiflino i rannu'r adnabyddiaeth hon â chenhedlaeth arall. Molwn di am yr athrawon a'r cerddorion, y crefftwyr a'r gwirfoddolwyr a rannodd eu hamser a'u dawn yn llawen i wasanaethu ein plant a'n pobl ifainc. Canmolwn di, O! Dduw daionus, am ddonio ein hieuenctid mor hael. Gweddïwn am iddynt hwythau dy adnabod di fel y rhoddwr rhad ac ymateb i'th ddaioni trwy berffeithio eu doniau a'u defnyddio i gyfoethogi bywyd ein cymdeithas a'n cenedl ac i ddwyn gogoniant i ti. Gweddïwn yn arbennig am dy fendith di ar Eisteddfod Genedlaethol yr Urdd fel y caiff pawb sydd ynglŷn â hi brofiad arall o geinder ac o ddaioni dy fwriadau gogoneddus di.

Bendigwn dy enw am ymrwymiad pob aelod o'r Urdd i fod yn ffyddlon i Gymru, i Gyd-ddyn, i Grist. Lle gweithredir y ffyddlondeb hwn fe elli di ddefnyddio'r mudiad cenedlaethol hwn i fod yn Urdd Gobaith Cymru yn wir. Yn dy ddoethineb fe drefnaist ti ddyfodol rhagorach nag y gallwn ni ei ddychmygu i'n gwlad a'n byd. Una'n breuddwydion ni â'th bwrpas tragwyddol di, fel bod ein cynlluniau a'n gweithredoedd ni yn unol â'th ewyllys sanctaidd di, Dad, Mab ac Ysbryd Glân, sydd wedi maddau'n holl bechodau trwy dy enw mawr dy hun. Amen.

Saunders Davies

Sul Un Byd

Darlleniad: **Rhufeiniaid 15; 7-13**

Ti, O! Dduw, a glodforwn; ti yr hwn a'th ddatguddiaist dy hun yn Iesu Grist, Goleuni'r Byd. Diolch am rym dy gariad sy'n bwrw i lawr y muriau sy'n gwahaniaethu'r cenhedloedd, am y goleuni sydd wedi symud tywyllwch anobaith oedd yn bygwth heddwch y byd. Diolch am ddysgeidiaeth a chenhadaeth Iesu Grist ac am ei fuddugoliaeth dros bechod ac angau. Diolch am effaith a dylanwad yr emyn, 'Efengyl tangnefedd, O! rhed dros y byd ...' Diolch am y gobaith a ddaeth i holl genhedloedd y byd drwy'r efengyl. Diolch am sêl dy fendith ac am i ti gadarnhau'r addewidion am heddwch drwy dy annwyl Fab Iesu Grist, Gwaredwr y byd.

Dyro i ni dy ras bob dydd i gofio ac i ddiolch ein bod bob llwyth, cenedl ac iaith wedi'n creu ar dy ddelw dy hun. Diolchwn am i ti allu cyffwrdd pob calon â goleuni a serch dy sancteiddrwydd drwy Iesu Grist. Helpa ni i gydnabod dy fod wedi coroni'r byd â thrugaredd a thangnefedd. Maddau i ni, O! Dduw, na byddai mwy o dystiolaeth ac o ganmol dy enw mawr ar ein gwefusau. Maddau nad ydym yn cydnabod ac yn diolch digon am dy holl ddaioni a'th haelioni yn y byd. Drwy nerth dy Ysbryd Glân, arwain ni heddiw yn dy ddoethineb i gynnal a chadw 'Sul Un Byd'. Na ad inni golli gwerth, gwefr a dylanwad yr efengyl yn y byd. Maddau ein difrawder a'n difaterwch yn ein perthynas â'n gilydd fel brodyr a chwiorydd yng Nghrist. Helpa ni i frwydro mewn cariad i orchfygu'r holl ddrygioni sy'n llygru a difetha ein perthynas â'n gilydd fel cenhedloedd y byd. Gwna i ni wisgo amdanom brydferthwch dy annwyl Fab dy hun, sef Iesu Grist. Maddau inni anghofio grym dy fuddugoliaeth trwy Iesu Grist. Arwain ni yn ein canu a'n tystiolaeth nid yn unig ar Sul arbennig ond bob diwrnod o'r wythnos.

'Na foed neb heb wybod am gariad y Groes;
A brodyr i'w gilydd fo dynion pob oes.'

Caniatâ o'r newydd i'r byd i gyd fwynhau tawelwch a thangnefedd dy efengyl. Ein gweddi a'n dyhead yw ar i ti ychwanegu beunydd dy gariad sy'n canmol dy enw mawr. Dyro inni gymorth i gadw'r Sul mewn dyddiau a chyfnod anodd. Bydded i'r canu a'r canmol ddod o bedwar ban byd. Dyro inni glywed unwaith yn rhagor sŵn y Delyn Aur yn boddi sŵn pob rhyfel. Erys yr alwad arnom i gyd i foli dy enw mawr:

'Molwch yr Arglwydd, yr holl Genhedloedd, a'r holl bobloedd yn dyblu'r mawl.'

Cryfha a chynorthwya dy Eglwys yn y dyddiau blin hyn i frwydro dros y Sul, ei ysbryd a'i bwrpas. Boed inni barchu a chadw'n fyw gariad, gobaith a goleuni'r efengyl drwy gadw a pharchu'r Sul, a hwnnw'n Sul Un Byd. Ti, O! Dduw, a roddodd i ni y Sul ac un byd i fyw ynddo a'i barchu. Drwy'r byd i gyd, er mwyn heddwch, tangnefedd a chyfiawnder, helpa ni i ddangos ein diolch a'n gwerthfawrogiad drwy Iesu Grist ein Harglwydd. Dymunwn dy foliannu a'th glodfori. Heddiw, felly, goleua'n meddyliau i'r gwirionedd a ddatguddiwyd i ni yn Iesu Grist.

Dirion a thrugarog Dad, maddau bob diffyg a bai ynom. Cynorthwya ni, bobloedd y byd i gyd, i nesáu mewn edifeirwch at dy orsedd ac at dy ffordd di o fyw.

'Efengyl tangnefedd, dos rhagot yn awr;
A doed dy gyfiawnder o'r nefoedd i lawr.' Amen.

Dewi Morris

Sul y Genhadaeth

Darlleniad   **Luc 9, 1-6; 10, 1-12**

Hollalluog Dduw, bendithia ni fel y disgyblion annwyl gynt. Cynorthwya ni i sylweddoli ein breintiau a chydnabod y gwaith sydd o'n blaen fel aelodau o Eglwys Iesu Grist. Dymunwn gydnabod yn ddiolchgar mai efengylwyr ydym, wedi ein galw i lafurio'n ddiwyd mewn cariad ac amynedd i sefydlu dy deyrnas ym mywyd ein cenedl. Diolchwn i ti am roddi inni'r efengyl sanctaidd ac arweinyddion ymroddedig ar hyd yr oesoedd. Helpa ni drwy nerth yr Ysbryd Glân i fynd i mewn i'w llafur â llawenydd. Bendithia ni fel y bendithiaist eu llafur hwy. Cyfeillion a gysegrodd eu doniau, eu hamser a'u hamynedd yn ddiflino a dirwgnach i gyhoeddi'r efengyl lân gydag arddeliad ac argyhoeddiad. Diolchwn i ti am gerddorion, emynwyr a llenorion a gyfrannodd mor hael i fywyd ysbrydol ein cenedl. Mawrygwn dy enw am roddi i ni, fel yn y dyddiau gynt, genhadon i ddiwygio ein cenedl mewn cariad ac i fwynhau heddwch. Drwy rym dy Ysbryd Glân rhanna anchwiliadwy olud Crist ein Gwaredwr. Ein gweddi a erys yn daer o hyd, gan fenthyg geiriau'r emynydd:

'Bywha dy waith, O! Arglwydd mawr,
Dros holl derfynau'r ddaear lawr,
Trwy roi tywalltiad nerthol iawn,
O'r Ysbryd Glân, a'i ddwyfol ddawn.'

Derbyn ein diolch am dy ofal di-baid drosom heddiw yn y gwaith. Cynorthwya ni i ufuddhau i'th gynghorion da, a chadw ni fel eglwys rhag bod yn amharod i ufuddhau i'th alwad. Helpa ni i fod yn ddewr gan ymateb yn brydlon i apêl dy gariad. Gwna ni'n ddoeth ac addfwyn a rho inni galon dyner i ddeall amgylchiadau anodd a chreulon ein hoes. Rho inni glustiau i wrando, llygaid i weld a dwylo parod i helpu:

'Dyro Dduw dy nawdd, ac yn nawdd nerth,
Ac yn nerth ddeall, ac yn neall gwybod,

Ac yng ngwybod, gwybod y cyfiawn,
Ac yng ngwybod y cyfiawn, ei garu,
Ac o garu, caru pob hanfod,
Ac ym mhob hanfod, caru Duw,
Duw a phob daioni.'

Boed i ni, fel y disgyblion annwyl gynt, dderbyn yr her i wynebu'r byd a rhannu goleuni'r efengyl drwy Iesu Grist ein Harglwydd. Cadw ni yn y golau:

'Cymer di fy nwylaw'n rhodd,
Fyth i wneuthur wrth dy fodd.'

Ar y Sul arbennig hwn, Sul y Genhadaeth, yn awr ein Tad deisyfwn i ti gofio'n garedig y cenhadon sydd yn y maes. Gweddïwn dros yr holl genhadon y gwyddom amdanynt sy'n wynebu anawsterau a pheryglon enbyd. Mewn gwlad sy'n ddieithr iddynt, mae'r iaith yn anodd, y bobl yn wahanol eu traddodiad a'u cred. Gweddïwn dros y rhai sy'n brwydro dros gyfiawnder a hawliau dynol, yn wynebu creulondeb ac erlid bob dydd yn eu gwaith; dros gyfeillion sy'n ceisio gofalu am y gwan a'r llesg heb ddigon o adnoddau, bwyd na diod - cynifer wedi wynebu sychder neu lifogydd ond yn dal i geisio gweinyddu cymorth a chysur mewn caledi. Nid yn unig rydym yn edmygu'r bobl hyn, ond gwyddom y dylem eu helpu mewn modd ymarferol. Drwy gyfrwng ein gweddi a thrwy dy gymorth, O! Dduw, rho arweiniad i ni fel eglwys. Rho inni'r awydd a'r arweiniad i allu helpu'r cenhadon hyn i lwyddo yn eu gwaith er clod i ti.

'Cymer di fy nwylaw'n rhodd,
Fyth i wneuthur wrth dy fodd;
Cymer, Iôr, fy neudroed i,
Gwna hwy'n weddaidd erot ti.'

Ymhob rhan o'r winllan helpa ni i ddwyn ffrwyth. Llusern yw dy Air i'm traed, a llewyrch i'm llwybr. Arwain ni fel Cristnogion i weithio'n ddi-feth yn ystod ein bywyd fel y gweithiodd y cenhadon gynt. Clyw ein gweddi a maddau bob diffyg a bai drwy Iesu Grist ein Harglwydd. Amen.

Dewi Morris

Sul y Cofio

Darlleniad   **Salm 46**
                   Mathew 5, 1-12

O! Dduw, ein Tad tragwyddol, plygwn yn ddwys a difrifol gan geisio cynnal gwasanaeth o ddiolch i ti ar y Sul arbennig hwn, sef Sul y Cofio, gwasanaeth a fydd yn cael ei gynnal ym mhob rhan o'r byd. Yng nghalonnau a meddyliau cynifer bydd erchyllterau rhyfel yn dwyn atgofion trist a chreulon, fel mae Bardd y Gadair Ddu, Hedd Wyn, yn ein hatgoffa:

> 'Gwae fi fy myw mewn oes mor ddreng;
> A Duw ar drai ar orwel pell;
> O'i ôl mae dyn, yn deyrn a gwreng,
> Yn codi ei awdurdod bell.'

O! Dduw trugarog a graslon, rydym yn cydnabod gan gyffesu ger dy fron y dydd heddiw y drygioni sydd wedi creithio ein calonnau am byth gan oferedd hunanol a thwyll. Crwydrasom oddi ar ffordd cyfiawnder a heddwch. Nid ydym yn deilwng o'th bresenoldeb hardd di, nac yn haeddu gwrandawiad, na'n cynnal mewn gwasanaeth coffa. Ystyriwn yn ddifrifol y galar a'r hiraeth am y rhai a gollwyd mewn ing a phoen, y rhai sy'n gorwedd mewn pridd dieithr mewn gwlad estron. Gwŷr a merched ifainc, yn blant tyner, yn bobl, yn feibion a merched, yn dadau a mamau tirion, eu gwaed wedi llifo'n ofer ar dir a môr. Canys heddiw mae gwledydd yn dal i fyw dan ormes trais a sŵn bomiau rhyfel. Disgyn wnaethant fel blodau, drwy gael eu torri ymaith ac yna wywo. Nid ydym yn deilwng o'u haberth a'u dioddefaint. Y cyfan allwn ni ei wneud yw eiriol am faddeuant a thrugaredd wrth dy draed.

Diolch, O! Dduw ein Tad, am i ni gael cofio a rhannu heddiw brofiad y Salmydd:

> 'Y mae Duw yn noddfa ac yn nerth i ni, yn gymorth parod mewn cyfyngder ... y mae'r Arglwydd yn gweithredu cyfiawnder a barn

i'r holl rai gorthrymedig ... Trugarog a graslon yw'r Arglwydd, araf i ddigio a llawn ffyddlondeb.'

Pwyso'n drwm ydym heddiw ar dy drugaredd; nid ydym deilwng o aberth y rhai a gollwyd. Cyfaddef ydym ein bod mor araf i ddysgu, mor barod i wylltio, i ymladd ac i ladd o hyd. Rydym wedi camddefnyddio - yn wir, rydym yn dal i gamddefnyddio - ein rhyddid a'n hawliau. Pechasom i'th erbyn gan fyw'n ofer a hunanol, a hynny er cymaint yr wyt ti wedi ei roi inni. Helpa ni drwy gyfrwng ein gwasanaeth i gofio am yr aberth mawr un prynhawn ar Ben Calfaria. Yn sŵn y geiriau, arwain ein meddyliau yn edifeiriol at y Groes:

'I Galfaria trof fy wyneb,
Ar Galfaria gwyn fy myd!
Y mae gras ac anfarwoldeb
Yn diferu drosto'i gyd:
Pen Calfaria,
Yno f'enaid gwna dy nyth.'

Wrth olrhain hanes creulon y ddynoliaeth, gwna ni heddiw'n wir edifeiriol. Helpa ni drwy dy ras i'n rhoi ein hunain o'r newydd i wasanaeth Tywysog Tangnefedd. Defnyddia ni'n gyfrwng yn dy law i ledaenu'r efengyl - 'Efengyl tangnefedd, O! rhed dros y byd.'

Rhoddwn ein diolch a'n mawl i ti, O! Dad, wrth i ni gael y fraint o gofio'r rhai a gollwyd, a hefyd gyflwyno rhai yn eu colled a'u hiraeth. Canmolwn di am mai ti yw 'Tad yr amddifad, a Barnwr y gweddwon'. Diolch am i ti fod yn barod i gynnal mor gadarn heddiw y rhai sy'n ceisio ennill heddwch a chyfiawnder yn y byd. Bendithia drwy dy Ysbryd Glân y rhai sy'n ceisio cyfamod a heddwch rhwng holl wledydd y byd. Rho dy allu a'th ddoethineb i holl arweinyddion y byd fel y gallant un ac oll wrando ar dy lais a'th gyngor. Hollalluog a thragwyddol Dduw, yr hwn wyt yn breswylfa i ni ym mhob cenhedlaeth, caniatâ i ni, wrth gofio, gofio dy dosturiaethau di, a'u cyflwyno mewn cariad a chydymdeimlad llwyr drwy dy Eglwys. Cyflwynwn ein diolch a'n deisyfiadau. Cyflwynwn ein hunain yn llwyr i'th wasanaeth. Pâr inni rodio llwybr cyfiawnder a thangnefedd trwy Iesu Grist ein Harglwydd a'n Gwaredwr. Amen.

Dewi Morris

Sul y Mamau/Tadau

Darlleniad **Deuteronomium 5, 1-21**
Luc 2, 41-52

Arglwydd nef a daear, dysg inni'n awr ufudd-dod a pharch wrth inni ddathlu Sul arbennig, sef Sul y Mamau/Tadau. Helpa ni i geisio diolch yn gywir i ti am rym y cariad sydd wedi taenu ei gysgod drosom ar hyd ein bywyd:

'Boed ein diolch byth i ti
Am rieni gawsom ni.'

Gad inni sylweddoli drwy gyfrwng y gwasanaeth hwn gymaint fu'r ymdrech a'r aberth drosom. Diolchwn am bob gofal a chariad ar yr aelwyd. Diolch i ti, O! nefol Dad, am fendithio pob mam a thad heddiw. Diolch am bob esiampl dda a chyfle a roddwyd i ni drwy'r dwylo tyner a charedig:

'Boed pob aelwyd dan dy wenau
A phob teulu'n deulu Duw.
Rhag pob brad, nefol Dad,
Cadw di gartrefi'n gwlad.'

Diolch am y cyfle hwn i gynnal gwasanaeth o ddiolch i ti am bob rhiant da, tyner a gofalus. Boed inni gydnabod ein dyled a'n diolch gan gyflwyno pob mam a thad i'th ofal tyner a thragwyddol, yn enw Iesu Grist, ein Harglwydd. Carem ddiolch am y croeso a gafodd pob rhiant wrth gyflwyno plentyn neu blant i ti i'w derbyn a'u bendithio. Diolch fod dy Eglwys yng Nghrist wedi bod yn gysgod ac yn gymorth i bob cartref. Wrth inni ddiolch a chofio heddiw am yr hyn a gawsom, helpa ni i geisio talu'n ôl mewn ffordd ymarferol. Gwna ni'n garedig a meddylgar, yn gymwynasgar a gofalus ohonynt hwy. Gad inni gofio bob amser eu gofal diflino a dirwgnach. Boed bendith a gofal dy Ysbryd Glân ym mhob cartref. Helpa ni i sylweddoli beth sy'n gwneud pob mam a thad yn hapus a dedwydd, sef plant da.

53

'N'ad i'n adeiladu'n ysgafn
Ar un sylfaen is y nef.'

Gad inni weld y sylfaen, y graig, y gongl a roddwyd inni i adeiladu ein cymeriad, sef Iesu Grist ein Harglwydd. Nod rhieni da, ni a wyddom, ein Tad, yw ceisio sicrhau bod eu plant yn dod i adnabod a dilyn Iesu Grist. Helpa ni felly i fod yn ffyddlon mewn gair a gweithred i Iesu Grist. Bendithia a chynnal heddiw bob mam a thad sydd mewn trallod a phoen a gwewyr mawr dros eu plant - er gwaethaf gofal da a thirion, eu plant wedi mynd ar gyfeiliorn ac yn disgyn i demtasiynau mawr. Clyw ein gweddi daer am dosturi a thrugaredd, gwrando'n garedig ar eu cri am gael gweld dyddiau gwell ac aelwyd hapus eto. Arglwydd, tyred â'r gobaith y lleddfir pob noswaith dywyll ac ochneidio trist. Dychwel yr amser y dymunem oll fwynhau dy dangnefedd pur. Gweld pob teulu'n cofleidio efengyl Iesu Grist gan fwynhau dy wledd gyda'r plant o gylch y tân. Yn dy gariad, yn dy ras, O! Nefol Dad, maddau bob pechod, diffyg a gwendid sydd ynom. Gwna i ni o'r newydd barchu a charu pob aelwyd a roddaist i ni drwy rieni da.

'Tywys di ni i'r dyfodol,
Er na welwn ddim ond cam;
Cariad Duw fydd eto'n arwain,
Cariad mwy na chariad mam.'

Derbyn ein diolch er mawr glod i'th enw yn Iesu Grist, yr hwn a'n dysgodd pan weddïwn i ddweud gyda'n gilydd, 'Ein Tad ...'
Amen.

Dewi Morris

Sul Heddwch

Darlleniad   **Eseia 40**
                   Ioan 14, 15-27

O! Dduw, ein creawdwr a'n cynhaliwr, dyro inni weledigaeth o fyd cyfiawn, lle mae cariad yn teyrnasu yn lle casineb, lle mae daioni yn lle drygioni, lle mae digonedd yn lle tlodi, lle mae tangnefedd yn lle rhyfel. Arwain ein meddyliau a'n calonnau at y gwirionedd. Tywys ni drwy dy Ysbryd Glân at yr efengyl sanctaidd. Rho inni'r awydd a'r gallu i ddarllen a deall dy neges. Boed ystyr a phwrpas dy eiriau'n eglur inni. Ar Sul Heddwch fel hyn, deisyfwn glustiau i wrando, ysbryd i ufuddhau, calon i edifarhau a meddwl i ddeall. Deall yn eglur neges Iesu Grist yn y Bregeth ar y Mynydd. Cael ystyr a deall cywir o'r Gwynfydau:

> 'Gwyn eu byd y rhai addfwyn, y rhai sy'n newynu a sychedu
> am gyfiawnder. Gwyn eu byd y trugarog, y rhai pur eu calon.
> Gwyn eu byd y tangnefeddwyr.'

Diolch, ein Tad, fod yna bobl felly heddiw yn brwydro dros heddwch. Diolch fod yna gyfle a rhyddid i bawb dderbyn a dilyn Iesu Grist. Diolch fod yna gyfle i ni i gyd fod yn halen y ddaear, yn oleuni'r byd yn enw Iesu Grist. Diolch am ddinas noddfa, 'dinas a osodir ar fryn, ni ellir ei chuddio'. Dinas a Christ Iesu yn sylfaenydd iddi, yn ben ac yn gongl - yr un sy'n galw dynion a merched i dderbyn her a chyfrifoldeb yn achos cyfiawnder, gan ein hatgoffa o'r llawenydd a'r gorfoledd sy'n ein hanes ar y diwedd. Y wobr fawr, y fuddugoliaeth yn nheyrnas nefoedd drwy Iesu Grist.

> 'Hyfryd eiriau'r Iesu,
> Bywyd ynddynt sydd;
> Digon byth i'n harwain
> I dragwyddol ddydd.'

Dydd y byddwn yn llawenhau a gorfoleddu am fod Iesu Grist wedi cael ei le ym mywydau plant a phobl y byd.

'Mae ei wenau tirion
Yn goleuo'r bedd;
Ac yn ei wirionedd
Mae tragwyddol hedd.'

Heddiw, mewn sawl gwlad yn y byd mae mor dywyll â'r bedd.
Unman i droi o sŵn byddarol y bomiau; unman i guddio rhag ergyd
y taflegrau; unman i weithio na gorffwys mewn tawelwch. Dim ond
erlid, lladd a llygru diddiwedd. Erbyn hyn, ein Tad, rydym wedi colli
cyfrif sawl rhyfel sydd *wedi* bod, ac yn methu cadw cyfrif o nifer y
rhyfeloedd sy'n *dal* i fod. Drugarog Dad, clyw ein cri am ddoethineb,
am gyfiawnder a all fod o oleuni i arweinyddion y byd, y rhai sydd
mewn grym ac mewn llywodraeth. Mae'n gweddi am weld terfyn ar
ladd, creulondeb a chasineb. Ein gweddi yw:

'Heddwch ar y ddaear lawr heb ryfel na phoen na phla.
Cyd-fyw mewn hedd wnawn ni bob dydd, bydd ewyllys da,
A Duw'n Dad trugarog, brodyr oll ym ni,
Cerddwn oll gyda'n gilydd mewn hedd a harmoni.'

Annigonol yw geiriau ar gyfer ein gweddi. Ni allwn ond erfyn am
i ti ein clywed, a deall ac ateb ein gweddi trwy dy dosturi, ein Tad
nefol. Dyro i ni, O! Dduw, weld yn fuan y dydd y bydd heddwch a
thangnefedd yn nodweddiadol o'n byd. Dysg ni i ymddiried yn llwyr
ynot ti pryd na allwn weld y ffordd yn glir. Dysg ni i rodio mewn
ffydd; cadw ni rhag chwerwi mewn ysbryd, na choleddu casineb at
neb; gwna ni'n gymdeithas gref; arllwys arnom dy Ysbryd tirion.
Maddau bob pechod sydd ynom a rho drwy dy faddeuant obaith am
nerth i ennill buddugoliaeth. Sychedig a newynog ydym am
gyfiawnder. O! perffeithia ni yn dy nerth, dyro inni flas gorfoledd dy
iachawdwriaeth, ac â'th Ysbryd Glân cynnal ni yn ein gwendid.
Gofynnwn hyn oll yn enw ac yn haeddiant dy Fab annwyl, Iesu Grist
ein Harglwydd, yr hwn a'n dysgodd ni pan weddïwn i ddweud gyda'n
gilydd, 'Ein Tad ... ' Amen.

Dewi Morris

Cynhaliaeth

Darlleniad	**Salm 18, 1-18**
	Ioan 6, 27-35

'Moliannwn Di, O! Arglwydd,
Wrth feddwl am dy waith
Yn llunio bydoedd mawrion
Y greadigaeth faith;
Wrth feddwl am dy allu
Yn cynnal yn eu lle
Drigfannau'r ddaear isod
A phreswylfeydd y ne.'

Ti, O! Arglwydd, yw ein crëwr a'n cynhaliwr. Ynot ti rydym yn byw, yn symud ac yn bod. Dywedwn fel y Salmydd '... bu'r Arglwydd yn gynhaliaeth imi'.

Molwn di am dy greadigaeth a'r gynhaliaeth a gawn i'n cyrff. Creaist y ddaear fel ei bod yn ein bwydo; derbyniwn yn helaeth o'i chynnyrch bob dydd o'n hoes.

'Cysgod, bwyd a dillad
Ti a'u rhoddaist im.'

Dyma yw cri pob un ohonom. Derbyn ein diolch am y digonedd a dderbyniwn, ond maddau inni am ein hunanoldeb, a'n hamharodrwydd i rannu ag eraill. Gwyddom fod digon o gynhaliaeth i bawb trwy'r holl fyd, ond maddau inni am besgi cymaint tra bod eraill yn newynu. Cynorthwya ni, O! Arglwydd, i gyflawni dy fwriad trwy ymdrechu'n galetach i sicrhau cynhaliaeth i bawb.

Molwn di am y gynhaliaeth a gawn i'n meddyliau. Derbyniasom addysg yn ein cartrefi, yn ein hysgolion dyddiol a'n hysgolion Sul. Cawsom wybodaeth a gwirioneddau a fu'n gynhaliaeth faethlon i'n meddyliau. Diolchwn yn arbennig i ti am 'ddidwyll laeth y gair', ac am inni gael ein dysgu nad 'ar fara yn unig y bydd byw dyn, ond ar bob gair a ddaw allan o enau Duw ei hun'. Maddau i ni, O! Arglwydd, am anghofio hyn ac am inni geisio 'y bwyd sy'n darfod', yn hytrach na'r 'bwyd sy'n parhau i fywyd tragwyddol'. Cynorthwya ni, O! Arglwydd, i geisio Iesu Grist, yr hwn yw 'bara'r bywyd', y bywyd sydd yn fywyd yn wir. Dyro i ni archwaeth newydd amdano ef, fel y cawn ei dderbyn o'r newydd ym mhregethau'r Gair ac yng ngweinyddu'r sacramentau.

Molwn di am y gynhaliaeth a gawn i'n hysbryd. Derbyniasom gymaint o gymorth oddi wrth ein teuluoedd, oddi wrth ein ffrindiau gorau, ac oddi wrth dy eglwys. Diolchwn i ti am ein cynnal ar adegau anodd bywyd, pan oedd siom a hiraeth, ofnau a phryderon bron â'n llethu. Pan oedd ein hysbryd yn isel, buost mor agos atom trwy eraill yr oedd eu cyfeillgarwch a'u gofal amdanom yn gynhaliaeth wironeddol i ni. Derbyn ein diolch am gyfeillion da. Cynorthwya ni, O! Arglwydd, i fod yn gyfeillion da i'n gilydd fel y medrwn gario beichiau'r naill a'r llall. Ti a wyddost am ambell ddolur sy'n aros, ac am yr ing sydd mewn aml i galon. Gweddïwn gyda'r emynydd:

'Tydi, ddiddanydd mawr y saint,
Yn nydd yr haint echryslon,
O dyro dy dangnefedd pur
I symud cur y galon.'

Cyflwynwn i ti bawb sy'n cynnal eraill trwy eu gwaith o ddydd i ddydd, gan gyfrannu tuag at iechyd, corff, meddwl ac ysbryd y rhai sydd o dan eu gofal - meddygon a gweinyddesau; gweithwyr cymdeithasol; y rhai sy'n gofalu am blant, yr ifanc, yr hen a'r methedig; gweithwyr dy eglwys, gweinidogion, blaenoriaid ac athrawon; cenhadon dy Eglwys ledled y byd.

Gweddïwn y bydd i ti barhau i'w cynnal. Dyro iddynt nerth i ddyfalbarhau a gweledigaeth eglur o'u rhan yng ngwaith dy deyrnas. Dyro iddynt sylweddoli eu bod yn cydweithio â thi. Cynorthwya hwy a ninnau bob amser i droi atat i geisio'r gynhaliaeth honno, a gwna ni'n fwy effeithiol yn ein gwaith ac yn ein tystiolaeth. Cynorthwya ni oll i fedru dweud drachefn, 'Bu'r Arglwydd yn gynhaliaeth i mi ...' Clyw ein gweddi yn enw Iesu Grist. Amen.

Eric Jones

Unigrwydd

Darlleniad   Salm 22, 1-22
Mathew 18, 15-20; 28, 16-20

Arglwydd, aethom i deimlo'n unig iawn yn ein heglwysi. Gostyngodd
ein rhifau, aeth addolwyr yn brin, diflannodd y plant a'u teuluoedd o
gymaint o'n hoedfaon. Rydym bron ag anobeithio am oedfa'r nos,
heb sôn am y dyfodol. Cawn aml i Sul unig, neu Sul gwag fel y mae
rhai'n ei alw, a neb yma i bregethu'r Gair i ni. Mae'r cwbl, O! Arglwydd,
yn ychwanegu at yr ymdeimlad o unigrwydd yn ein plith. Ofnwn fod
cymaint wedi'n gadael, gan gefnu arnat ti, yr efengyl a'th Eglwys.
Mae'r unigrwydd bron â'n llethu. Aeth y gwaith o fugeilio a chynnal
dy eglwys yn faich ar sawl un ohonom. Prin y medrwn ystyried
cenhadu - buasem yn rhy unig yn y gwaith hwnnw. I ble'r aeth
pawb? Pam yr ydym mor unig? Rydym yn deall profiad y Salmydd,
yn ei unigrwydd yntau, pan ofynnodd, 'Fy Nuw, fy Nuw, pam yr wyt
wedi fy ngadael ...'

Diolch, Arglwydd, am brofiadau dy bobl o'th gwmni di.

'Agos yw yr Arglwydd at y rhai oll a alwant arno, ie at y rhai oll a
alwant arno mewn gwirionedd. Nesáu at Dduw sydd dda inni.'

Deisyfwn am gymorth dy Lân Ysbryd fel y byddwn yn teimlo dy
bresenoldeb gyda ni. Deisyfwn am inni gael cymundeb â thi ac â'th
annwyl Fab, Iesu Grist. Cofiwn mai ef a'n dysgodd i weddïo, ein Tad,
gan ddangos ei ddyhead am i ni gael ymdeimlo â'th agosrwydd.
Cofiwn am y modd y bu iddo alw'r disgyblion ato - ni allai gyflawni ei
waith ar ei ben ei hun, yr oedd am iddynt fod gydag ef. Addawodd
ef hefyd fod gyda ni, pa le bynnag y mae dau neu dri wedi ymgynnull
yn ei enw ef. Cofiwn am ei gomisiwn i'w ddisgyblion:

'Ewch a gwnewch ddisgyblion o'r holl genhedloedd gan
eu bedyddio hwy yn enw y Tad, y Mab a'r Ysbryd Glân ... ac yr
wyf gyda chwi bob amser hyd ddiwedd y byd.'

Arglwydd, maddau inni am feddwl ein bod yn unig. Arglwydd, maddau inni am deimlo'n unig a thithau'n bresennol gyda ni. Arglwydd, maddau inni am yr unigrwydd a ddaw i'n rhan pan fyddwn yn anghofio dy addewidion mawr, ac am anghofio dy fod yn Dduw sy'n eu cadw bob amser. Arglwydd, maddau inni am ymdeimlo ag unigrwydd yn ein gwaith a'n cenhadaeth, a thithau wedi addo cydweithio â ni, ac wedi addo bod gyda ni. Arglwydd, daw geiriau'r emynydd yn eiriau i ninnau:

'Awr o'th bur gymdeithas felys,
Awr o weld dy wyneb-pryd,
Sy'n rhagori fil o weithiau
Ar bleserau gwag y byd:
Mi ro'r cwbwl
Am gwmpeini pur fy Nuw.'

Arglwydd, dyro inni fedru rhoi'r cwbl hefyd am gwmpeini eraill. Cofiwn mai cymdeithas yw dy eglwys, a bod angen cryfhau'r gymdeithas hon. Cynorthwya ni i agor ein llygaid i weld cyfle i genhadu oddi mewn ac oddi allan i furiau ein hadeiladau. Cynorthwya ni i agor ein llygaid i weld y posibiliadau a ddaw trwy uno cynulleidfaoedd ac ysgolion Sul. Cynorthwya ni i agor ein llygaid i weld nad oes rhaid inni fod yn unig a gwan.

Cyflwynwn eraill i'th ofal grasol, yn enwedig y rhai sy'n unig. Cofiwn amdanynt ger dy fron ... yn unigolion, eglwysi eraill, yr hen a'r methedig, y diymgeledd a'r digartref, y gwrthodedig a'r galarus. Gweddïwn yn daer y byddant yn ymdeimlo â'th agosrwydd di, O Arglwydd. Hyd y bo modd, bydded iddynt ymdeimlo â'th bresenoldeb ynom ni, a thrwom ni. Cymhwysa ni fel unigolion ac eglwysi i leddfu unigrwydd eraill, ac unigrwydd ein gilydd, trwy Iesu Grist ein Harglwydd. Amen.

Eric Jones

Cariad

Darlleniad   **Mathew 6, 43-48**
Ioan 4, 7-16
Rhufeiniaid 8, 35-39

O! Dduw ein Tad, clywsom pan oeddem yn ifanc iawn yr adnod
'Duw cariad yw'. Prin y buasem wedi cymryd unrhyw sylw ohoni,
oni bai am gariad y rhai a'i dysgodd inni. Diolchwn i ti amdanynt, ac
am i ni gael cipolwg ar dy gariad trwyddynt hwy. Wrth i ni dyfu
daethom i ddeall ystyr cariad, a'i fod yn golygu gofal, a gofalu.

Molwn di am dy gariad tuag atom, am dy ofal amdanom. Molwn
di am i ti ein caru'n ddiwahân gan beri i'r haul godi ar y drwg a'r da
ac i'r glaw ddisgyn ar y cyfiawn a'r anghyfiawn. Diolchwn i ti am
ewyllysio'r gorau i bawb bob amser.

> 'Prawf Duw o'r cariad sydd ganddo tuag atom yw i Grist
> farw trosom, a ni eto'n bechaduriaid.'

Molwn di am i ti ein caru yn ddiarbed gan roi 'dy unig Fab, er
mwyn i bob un sy'n credu ynddo ef beidio â mynd i ddistryw ond
cael bywyd tragwyddol'. Molwn di am fod dy gariad tuag atom yn
ddi-droi'n-ôl, ac i'th annwyl Fab ddangos hynny'n eglur i ni trwy ei
aberth drosom ar y Groes:

> 'Ymlaen y cerddaist, dan y groes a'r gwawd
> Heb neb o'th du.
> Cans llosgi wnaeth dy gariad pur bob cam
> Ni allodd angau'i hun ddiffoddi'r fflam.'

Molwn di am fod dy gariad yn ddigyfnewid; 'Duw y cariad nad
yw'n oeri' ydwyt. Wrth inni edrych ar y Groes gallwn ddweud
drachefn gyda'r emynydd:

> 'Fel fflamau angerddol o dân
> Yw cariad f'Anwylyd o hyd;'

Cyffeswn, O! Dduw ein Tad, gyda llawer iawn o gywilydd, er i ti ein caru yn y fath fodd, fod ein cariad ni'n wahanol iawn i'th gariad di. Mae ein cariad ni'n gwahaniaethu rhwng hwn ac arall; nid ydym yn medru ewyllysio'r gorau i bawb. O! Dad, maddau i ni. Mae ein cariad ni'n mynnu ein harbed ni o hyd; mae'n hunanol, ac ni allwn rannu a rhoi fel y gwnaethost ti. O! Dad, maddau i ni. Mae ein cariad yn medru troi'n ôl; byddwn mor aml yn methu â charu hyd yr eithaf. O! Dad, maddau i ni. Mae ein cariad mor gyfnewidiol; bydd weithiau'n gynnes ac yna mor oer, byddwn weithiau'n gryf ac yna'n wan. O! Dad, maddau i ni.

O! Dduw ein Tad, cynorthwya ni i edrych drachefn ar ein Harglwydd croeshoeliedig a gweld ynddo ef hyd a lled, uchder a dyfnder dy gariad tuag atom - 'Dy gariad cryf rho yn fy ysbryd gwan.'

Cynorthwya ni, O! Dad, i garu'r rhai sy'n ymwneud â ni ac i ofalu amdanynt. Ein hanwyliaid - O! cynorthwya ni i'w caru trwy ofalu'n fwy tyner amdanynt. Ein cymdogion - O! cynorthwya ni i'w caru hwy fel ni ein hunain. Ein cyd-Gristnogion, o sawl enwad a thraddodiad - cofiwn eiriau ein Harglwydd, 'Cerwch eich gilydd fel y cerais i chwi'. Ein gelynion - 'Cerwch eich gelynion, gweddïwch dros y rhai sy'n eich erlid'. Ni allwn wneud hyn, O! Arglwydd, ond trwy dy nerth a'th ras di dy hun.

Clyw ein gweddi dros bawb y mae angen diddanwch a nerth dy gariad disyfl arnynt. Cyflwynwn i'th sylw y rhai nad oes ganddynt adnabyddiaeth ohonot ti a'th gariad. Cyflwynwn i'th sylw y rhai nad oes ganddynt neb i'w caru. Cyflwynwn i'th sylw y rhai sy'n dioddef afiechyd o bob math, ac sy'n ofni'r dyfodol. Cyflwynwn i'th sylw y rhai sy'n galaru am eu hanwyliaid. Cyflwynwn i'th sylw y rhai sy'n dioddef newyn a thlodi ac anghyfiawnder. Cyflwynwn i'th sylw bawb sy'n ceisio ffordd cymod a chariad rhwng pobl â'i gilydd.

Dyro iddynt hwy a ninnau, O! Dad, ddiddanwch a nerth dy gariad a'r sicrwydd 'hwnnw na all angau nac einioes ... na'r presennol, na'r dyfodol ... na dim arall a grewyd, ein gwahanu ni oddi wrth dy gariad yng Nghrist Iesu ein Harglwydd'.

Derbyn ein diolch, O! Dduw, am dy gariad, ac am dy ofal tymhorol a thragwyddol amdanom, trwy Iesu Grist. Amen.

Eric Jones

Henaint

Darlleniad   **Salm 90**

O! Arglwydd ein Duw, mae geiriau'r Salmydd mor wir. Dywedant y gwir amdanat ti, y digyfnewid Dduw, ac amdanom ninnau yn ein henaint. Pa un a ydym yn hen neu'n ifanc, dysg ni i gyfrif ein dyddiau, ac i fod yn ddigon doeth i ddal ar bob cyfle i fyw yn ôl dy ewyllys. Dysg ni i weld y gwerth sydd ymhob diwrnod, gan ei drysori fel rhodd werthfawr a ddaw oddi wrthyt ti.

Os ydym yn ifanc, dyro inni ddoethineb i drysori a pharchu henaint y rhai sydd o'n cwmpas. Cynorthwya ni i wrando ar eu hatgofion. Cynorthwya ni i ddysgu oddi wrth eu profiadau. Cynorthwya ni i fod yn amyneddgar a charedig. Cynorthwya ni i gyfathrebu'n groyw, gan godi ein llais a symud ein gwefusau wrth siarad â hwy. Cynorthwya ni i ymateb yn chwim os oes angen cymorth arnynt. Cynorthwya ni i gofio y byddwn ninnau'n hen ryw ddiwrnod. Os ydym yn hen, dyro, O! Arglwydd, ddoethineb inni i sylweddoli na allwn wneud yr hyn yr oeddem yn arfer ei wneud. Mae'n fwy anodd symud a siarad bellach. 'Henaint ni ddaw ei hunan.'

Cynorthwya ni i fod yn siriol ac addfwyn, fel y byddwn yn denu eraill atom, gan nad yw hi'n bosibl i ni fynd atynt hwy. Cynorthwya ni i fod yn amyneddgar gyda'r ifanc yn eu gwamalrwydd, gan sylweddoli nad oes ganddynt brofiad o fywyd fel ni. Cynorthwya ni i fod yn dawel weithiau, gan fod yn barotach i wrando. Cynorthwya ni hefyd i sylweddoli nad oes gan y rhai sydd yn ymweld â ni gymaint o amser ag sydd gennym ni. Cynorthwya ni i beidio â'u cadw a'u blino gyda'n straeon. Cynorthwya ni i rannu ein llawenydd, nid ein cwynion; ein bendithion, nid ein pryderon. Cynorthwya ni i aeddfedu yn ein henaint ac i heneiddio'n rasol.

Uwchlaw pob dim, O! Arglwydd ein Duw, cynorthwya ni i ddal ati i weddïo. Dyma rywbeth y gallwn ei wneud, er mor fregus yw ein cyrff. Gweddïwn dros yr ifanc ... Gweddïwn dros y rhai sy'n meddwl amdanom ... Gweddïwn dros y rhai sy'n gofalu amdanom ...

Gwrando'n gweddi yn enw Iesu Grist, ein Harglwydd a'n Gwaredwr.

Arglwydd, maddau inni am feddwl ein bod yn unig. Arglwydd, maddau inni am deimlo'n unig a thithau'n bresennol gyda ni. Arglwydd, maddau inni am yr unigrwydd a ddaw i'n rhan pan fyddwn yn anghofio dy addewidion mawr, ac am anghofio dy fod yn Dduw sy'n eu cadw bob amser. Arglwydd, maddau inni am ymdeimlo ag unigrwydd yn ein gwaith a'n cenhadaeth, a thithau wedi addo cydweithio â ni, ac wedi addo bod gyda ni. Arglwydd, daw geiriau'r emynydd yn eiriau i ninnau:

> 'Awr o'th bur gymdeithas felys,
> Awr o weld dy wyneb-pryd ...'

> 'Tydi ddiddanydd mawr y saint,
> Yn nydd yr haint echryslon,
> O dyro dy dangnefedd pur
> I symud cur y galon.'

Cyflwynwn i ti bawb sy'n cynnal eraill trwy eu gwaith o ddydd i ddydd, gan gyfrannu tuag at iechyd, corff, meddwl ac ysbryd y rhai sydd o dan eu gofal - meddygon a gweinyddesau; gweithwyr cymdeithasol; y rhai sy'n gofalu am blant, yr ifanc, yr hen a'r methedig; gweithwyr dy eglwys, gweinidogion, blaenoriaid ac athrawon; cenhadon dy Eglwys ledled y byd.

Gweddïwn y bydd i ti barhau i'w cynnal. Dyro iddynt nerth i ddyfalbarhau a gweledigaeth eglur o'u rhan yng ngwaith dy deyrnas. Dyro iddynt sylweddoli eu bod yn cydweithio â thi. Cynorthwya hwy a ninnau bob amser i droi atat i geisio'r gynhaliaeth honno a gwna ni'n fwy effeithiol yn ein gwaith ac yn ein tystiolaeth. Cynorthwya ni oll i fedru dweud drachefn, 'Bu'r Arglwydd yn gynhaliaeth i mi ...' Clyw ein gweddi yn enw Iesu Grist. Amen.

Eric Jones

Plant ac Ieuenctid

Darlleniad   Salm 127
                   Mathew 18, 1-5
                   1 Timotheus 4, 12-16

O! Dduw ein Tad, tad ein Harglwydd a'n Gwaredwr Iesu Grist, tad pob rhodd werthfawr, diolchwn i ti am blant ac ieuenctid ein heglwysi. Cynorthwya ni i edrych arnynt fel y gwna'r Salmydd gan weld eu bod yn 'etifeddiaeth oddi wrth yr Arglwydd', ac mai 'gwobr yw ffrwyth y groth'. Rhyfeddwn, O! Arglwydd, at yr amrywiaeth o bersonoliaethau sydd yn eu plith, a'r amrywiaeth mawr o ddoniau. Rhyfeddwn dy fod wedi rhoi'r fath gyfoeth i gynifer o'n heglwysi. Dyro gymorth inni, O! Dad, i fod yn wirioneddol ddiolchgar am y cyfoeth hwn.

Derbyn ein diolch am rieni a gadwodd yr addewidion a wnaethant wrth fedyddio a chyflwyno eu plant. Derbyn ein diolch am y dylanwadau da a dyrchafol sydd ymysg teuluoedd cynifer o'n plant a'n hieuenctid, y perthnasau hynny sy'n amlwg wedi eu hymgysegru eu hunain yn dy waith. Derbyn ein diolch am bopeth sy'n gadarnhaol ynglŷn â pherthynas y plant a'r ieuenctid o fewn dy eglwys, eu parodrwydd i gymryd rhan yn y gwasanaeth, eu parodrwydd i helpu eraill, eu parodrwydd i gymryd eu dysgu a'u harwain. Dyro gymorth inni, O! Dad, i werthfawrogi ymdrechion y rhai sydd â chyfrifoldeb arbennig amdanynt.

Cyflwynwn eu rhieni i ti, gan weddïo y byddant yn dyfalbarhau i gadw eu haddewidion i'w magu'n ddisgyblion i'th annwyl Fab Iesu Grist. Cyflwynwn i ti weinidogion ac athrawon Ysgol Sul, sy'n dyfalbarhau i'w dysgu a'u caru, Sul ar ôl Sul, flwyddyn ar ôl blwyddyn. Cyflwynwn i ti eraill sy'n cefnogi'r gwaith hwn megis Cyngor Ysgolion Sul Cymru sy'n paratoi'r holl ddefnyddiau ar gyfer y gwersi. Cofiwn ger dy fron am weithwyr canolfannau'r enwadau - Coleg y Bala, gwersylloedd yr Urdd a'r ysgolion haf. Cyflwynwn i ti athrawon ein hysgolion cynradd ac uwchradd, a darlithwyr y colegau. Bydded iddynt hwy fel pob un ohonom ninnau, O! Dad, sylweddoli cymaint yw ein cyfrifoldeb i roi esiampl dda ac arweiniad cadarn i'r to sy'n codi.

Gofynnwn am dy faddeuant hefyd. O! maddau inni am feddwl amdanynt fel dyfodol ein heglwysi, yn hytrach na'r presennol. O! maddau inni am ddisgwyl iddynt ymddwyn, ymateb ac addoli fel pobl hŷn. O! maddau inni am anghofio ein bod ninnau wedi bod yn blant ac yn ieuenctid. O! maddau inni am beidio â sylweddoli mai lleiafrif bychan ydynt bellach o rai sy'n mynychu capel neu eglwys, ac felly mor anodd yw hi iddynt fynd yn erbyn y llif. O! maddau inni am ddisgwyl i blant yr Ysgol Sul, na chawsant fawr o gyfle i addoli'n gyson, ddod yn addolwyr ffyddlon, trwy ryw ryfedd wyrth, yn y dosbarthiadau derbyn. O! maddau inni am bob cyfle a gollwyd gennym i droi ein heglwysi a'n capeli yn aelwydydd, a'th eglwys yn deulu croesawgar a chynnes i rai o bob oed.

Cynorthwya ni, O! Arglwydd, i ddilyn yr esiampl a roddodd dy Fab inni, trwy roi'r plant a'r ieuenctid yn y canol: yng nghanol ein syniadau am eglwys; yng nghanol ein cynlluniau; yng nghanol ein paratoadau i'th addoli; yng nghanol ein cenhadaeth; yng nghanol ein gweledigaeth am dy eglwys heddiw ac yfory.

Pan fyddwn yn ymdeimlo â'n methiant i'w cyrraedd, pan fyddant yn ymddangos fel petaent wedi crwydro ymhell oddi wrthyt ti, a ninnau, cadw hwy, O! Dad, yn ddigon agos at ein calonnau fel y byddwn yn parhau i weddïo'n daer drostynt.

> 'Ni fethodd gweddi daer erioed
> Â chyrraedd hyd y ne.'

O! gwrando ein gweddi daer, yn enw Iesu Grist. Amen.

Eric Jones

Y Teulu

Darlleniad   **Effesiad 2, 19-22; 4, 2-7; 5, 1-2; 8-21.**

Diolch i ti, ein Tad, am roi inni'r profiad o fyw fel teulu. Pan yw eraill yn troi i'n herbyn, yn ein gwawdio, yn ein dirmygu a'n bwrw i lawr, gallwn droi at y teulu am swcwr, am gymorth cyntaf (yn ôl y Ffrangeg *secours*). Mae aelodau'r teulu'n ein derbyn fel yr ydym, yn gymysgedd ryfedd o orchestion a gallu, o wendidau a methiant. Iddynt hwy, does dim rhaid inni lwyddo ym mhob peth - dim ond bod yn ni'n hunain, y person y maen nhw'n ei adnabod a'i garu. Mynnant ein bod yn rhan fyw o'u byd a'u profiad, beth bynnag ddaw i'n rhan. Maent yn chwilio am barhad y cwlwm personol, y cwlwm cariad sy'n ein dal ynghyd. Oherwydd hwnnw sy'n rhoi nerth i'r teulu a'i holl aelodau yn wyneb pawb a phopeth. Rhown loches i'n gilydd, gan atgyfnerthu ac ailadeiladu yn ôl yr angen unigol, er mwyn llwyddo fel uned fyw.

Diolch i ti am estyn y darlun o'r teulu i'th Eglwys - pobl, teulu Iesu Grist. 'Tra bydd amser gennym,' medd y Gair, 'gadewch inni wneud da i bawb, yn enwedig i'r rhai sydd o deulu'r ffydd.'
Cwlwm dy gariad di sy'n ein clymu ynghyd yma eto. Gallwn fwynhau a dioddef egni chwareus a direidus y plant, tafod miniog eu rhieni mewn clod a beirniadaeth, cwynion a chwerthin yr aelodau canol oed, a rhyfeddod llygatrwth yr hynafiaid yn ein plith. Daw'r chwarae a'r gweddïo, y gwasanaethu a'r cyfeillachu, y canu a'r addoli oll yn gytsain fyw. A gwelwn nad yw ffiniau cymdeithas y teulu hwn yn gorwedd o fewn un wlad ac un ardal. Teimlwn y berthynas yng Nghrist wrth gwrdd â'r bobl o Korea, Sri Lanka, Burkina Faso a'r holl wledydd - o'r cyfoethocaf i'r tlotaf ohonynt. A'r un cwlwm sydd yno rhwng aelod ac archesgob, rhwng meudwy a mynach a rhiant meidrol. Maent oll yn un ynot ti.

Efallai mai hon yw'r rhodd fwyaf sydd gennym heddiw i'w chyflwyno i'r teulu cyfan, teulu dyn. Cymundeb a chymuned, y cwlwm cariad na ellir ei ddatod pan y'i clymir yn iawn. Hyn sy'n ein hunoâ'n gilydd ac yn ein huno gyda thi.

'Yr wyf fi wedi rhoi iddynt hwy y gogoniant a roddaist ti i mi, er mwyn iddynt fod yn un fel yr ydym ni yn un: myfi ynddynt hwy, a thydi ynof fi, a hwythau, felly, wedi eu dwyn i undod perffaith, er mwyn i'r byd wybod mai tydi a'm hanfonodd i, ac i ti eu caru hwy fel y ceraist fi.'

Diolch i ti am y cymorth a gawn gennyt yn y teulu. Diolch i ti am ein derbyn ni fel yr ydym ni, yn Iesu Grist, 'D'allu Di a'm gwna yn agos - 'F'wyllys i yw mynd ymhell ... '

Does dim rhaid inni ymddangos yn llwyddiant mawr i ti - dim ond bod yn ni'n hunain, y rhai yr wyt ti'n eu hadnabod a'u caru. Rwyt am inni gymryd ein lle yn y teulu. Rwyt am inni gyflawni ein 'haddoliad ysbrydol' (neu'n 'rhesymol wasanaeth' yn ôl yr hen gyfieithiad o'r Beibl) drwy ein rhoi ein hunain i ti.

Trawsffurfia ni, felly; adnewydda'n meddwl ni; galluoga ni i ganfod yr hyn sy'n dda a derbyniol a pherffaith yn dy olwg di. Trwy Iesu Grist. Amen.

Roger Ellis Humphreys

Amynedd

Darlleniad   **Luc 8, 4-8; 8, 11-15; 19, 9-19
Rhufeiniaid 8, 18-25**

Sut medri di, Dduw, ofyn inni fod yn amyneddgar?

Mae cymaint i'w wneud. Mae amser yn hedfan heibio inni. Aros mae'r dasg o ddwyn dy Eglwys yng Nghymru i mewn i'r ugeinfed ganrif cyn iddi orffen!

Gadewch inni adrodd gyda'n gilydd emyn 782 yn Atodiad y Methodistiaid. (*Cydadrodd yr emyn*)

Fe'th glywn di'n siarad â ni heddiw:

'Y mae angen dyfalbarhad arnoch i gyflawni ewyllys Duw
a meddiannu'r hyn a addawyd.'

Rwyt ti'n ein dysgu ni bod amynedd, neu ddyfalbarhad, yn un o'n harfau mawr ni yn dy frwydr yn ein dyddiau. Oherwydd, yng ngeiriau'r ysgrythur:

'Ymhen ennyd, ennyd bach, fe ddaw yr hwn sydd i ddod,
a heb oedi; ond fe gaiff fy ngŵr cyfiawn i fyw trwy ffydd,
ac os cilia'n ôl, ni bydd fy enaid yn ymhyfrydu ynddo.
Eithr nid pobl y cilio'n ôl i ddistryw ydym ni, ond pobl
y ffydd sy'n mynd i feddiannu bywyd.'

Diolch i ti am ddweud wrthym bod amynedd yn arwain at feddiannu'n bywyd. Mae hyn yn ein harafu o'n gwylltineb ac yn rhoi cyfle inni atgyfnerthu ar dy obaith. Tybed a ddown trwy hynny'n well gweithwyr trosot - gan weithio mwy yn ôl d'amserlen dithau? Fedrwn ni ddygymod â'th amserlen di?

'Gadewch i ddyfalbarhad gyflawni ei waith, er mwyn ichi
fod yn gyfan a chyflawn, heb fod yn ddiffygiol mewn dim.'

Mae'n anodd wedyn inni dderbyn llwyddiant dy Eglwys mewn gwledydd eraill. Hithau'n llwyddo drwy wneud pethau sydd o fewn ein cyrraedd ninnau hefyd! Maddau inni na wnaethom ni'r pethau hynny eto yng Nghymru - dim ond meddwl a siarad am eu gwneud! Dy Eglwys yn y gwledydd eraill sydd mewn gogoniant yn ei llwyddiant - a rhuthrwn ninnau i genfigennu wrthynt hwy.

Atgoffa ni, ein Tad, bod y canghennau hynny o'th Eglwys yn talu'n ddrud am eu llwyddiant yn yr efengyl. Talu maent trwy dlodi eu pobl, merthyrdod eu Cristnogion, chwys a llafur eu datblygu a phoen eu haberth a'u sefyllfa. Faint bynnag fo'n cenfigen, fedrwn ni ddim mynd i'w lle nhw er mwyn cael eu llwyddiant nhw.

Rhaid i ni aros wrthyt yng Nghymru heddiw. Rhaid i ni ddisgwyl wrthyt yn ein cymunedau a'n capeli. Rhaid i ni fyw ynot trwy ein hymdrechion ein hunain a thrwy gynhaeaf y tir da yma lle rydym yn byw.

'Y mae arnom angen dyfalbarhad i gyflawni d'ewyllys
di a meddiannu'r hyn a addawyd.'

Plygwn yn ostyngedig o'th flaen gyda'n gilydd.

'Yr hyn nad ydym yn ei weld yw gwrthrych gobaith, ac
felly yr ydym yn dal i aros amdano mewn amynedd.'

Derbyn ni i'th Eglwys ac i'th gwmni ar hyd y llwybrau byw. Gweddïwn am nerth i weithio drosot - ac am fwy o nerth i aros yn dy waith yn wyneb pob siom ac anhawster, yn Iesu Grist. Amen.

Roger Ellis Humphreys

Bendithion

Darlleniad **Rhufeiniaid 12, 14**
Effesiaid 1, 3-14

(*Llafarganu*)
Benedictus ... Maledictus.
Dweud yn dda ... Drygeirio.
Benedictus ... Bendith; *Maledictus* ... Melltith.

Ein Tad, sut mae 'dweud yn dda' am rywun yr ydym yn ei gasáu?
Sut mae 'bendithio' rhywun sy'n mynnu ymosod arnom neu wneud
drwg inni? Ein tuedd naturiol, a'n teimlad cyntaf, cryf, cyntefig yw
talu'n ôl gyda mwy o nerth nag sydd ynddyn nhw. Sut mae arfer
hunanddisgyblaeth y Cristion a dweud rhywbeth da yn ôl, ac ad-
dalu trwy wneud rhywbeth positif? Fedrwn ni faddau? Fedrwn ni
anghofio?

Gwyddom yn dda, ein Tad, bod ceisio dial yn adweithio'n ddrwg
arnom ni ein hunain. Er bod y dialedd cyntaf yn gallu llwyddo a
dwyn boddhad amlwg inni, byrhoedlog yw'r blas melys. Mae blas
chwerw yn ein cegau wrth ddeall bod dial yn ein dibrisio ni ein
hunain. Ni sy'n chwerwi o ran natur; ni sy'n datblygu obsesiwn drwy
gatalogio dulliau dial; ni sy'n troi'n bobl bach mileinig wrth geisio
gwella'n briw ninnau trwy agor un mwy ynddyn nhw. Dyna pam y
dywed dy Air wrthym, 'Myfi piau'r dial; myfi a dalaf yn ôl ...' Maddau
inni am fethu aros i'th ddialedd dithau ddod i'r golwg. Maddau inni
am fethu cario'r briwiau gyda ni, heb rwgnach na theimlo inni gael
cam. A maddau inni am fethu ymddiried digon ynot i ddeall mai
cariadus yw dy fwriadau tuag atom ac nid gelyniaethus.

'Yr wyf yn galw'r nef a'r ddaear yn dystion yn dy erbyn
heddiw, imi roi'r dewis iti rhwng bywyd ac angau, rhwng
bendith a melltith. Dewis dithau fywyd, er mwyn iti fyw,
tydi a'th ddisgynyddion, gan garu'r Arglwydd dy Dduw, a
gwrando ar ei lais a glynu wrtho; oherwydd ef yw dy fywyd ...'

Gosod y geiriau hyn yn ein meddyliau a'n calonnau, os gweli di'n dda. Argraffa'n eglur arnynt mai bywyd yw dy fendith di. Gad inni dyfu'n well pobl wrth inni garu'n gelynion. Aeddfeda ni fel unigolion wrth inni faddau i'n gilydd fel y maddeuaist ti i ni. Meithrin ni fel personau crwn a chyflawn wrth inni ddysgu cario creithiau'r geiriau cas a'r gweithredoedd creulon. Helpa ni i gofio mai ennill, gorchfygu, concro, wnaeth dy Grist, trwy gario creithiau'r dyddiau diwethaf hynny cyn y Groes. Bywyd a ddewisodd ef, a'r bywyd newydd yw ef yn awr i bawb sy'n ei geisio. Gallwn ninnau, gydag ef yn gefn inni, ganolbwyntio arnat ti.

Bonws yw'r bendithion eraill - teulu sy'n ein caru er gwaethaf ein gwendidau; ffrindiau sy'n ein cynnal ymhob storm a heulwen fel ei gilydd; pobl sy'n dy ddangos di inni bob dydd mewn gair llawen, gwên gyfeillgar, stori gellweirus a ddena'r chwerthin ynom, neu law o gymorth yn ôl yr angen. Bonws yw hawddfyd a hamdden, digonedd (heb ormodedd) o fwyd a diod, gwres a chysur. Bonws yw'r cyfle i weithio mewn swydd gan ddefnyddio'n talentau personol a'n gallu proffesiynol. Bonws ar dy ben di. Oherwydd ynot ti y cawsom y cyfan, yr holl fendithion - yn dy gwmni ar y llwybrau byw, ac yn dy Iesu.

(*Llafarganu*)

Benedictus.
Bendith.
Dweud yn dda ... Byw yn llawn.

'Bendigedig fyddo Duw a Thad ein Harglwydd Iesu Grist,
y Tad sy'n trugarhau a'r Duw sy'n rhoi pob diddanwch.' Amen.

Roger Ellis Humphreys

Y Greadigaeth

Darlleniad   **Rhufeiniaid 8, 18-25**
Effesiaid 1, 9-10
Rhufeiniaid 1, 19-23

Ein Tad, maddau i ni am ystyried y greadigaeth o'n safbwynt materol a gorllewinol. Aethom i gredu ei bod yno i'w hecsploitio. Dyna'r meddylfryd yr ydym wedi'i allforio i'r gwledydd eraill a'i orfodi arnynt drwy Fanc y Byd a'r Gronfa Ariannol Ryngwladol (IMF).

Diolch i ti nad yw pobl na llywodraethau'r gwledydd wedi derbyn hyn fel efengyl pur. Diolch i ti eu bod yn gosod safbwyntiau gwahanol gerbron fforwm y byd, safbwyntiau ysbrydol yn hytrach na rhai materol, rhai cymdeithasol yn hytrach na rhai hunanol. Agor ein clustiau a'n calonnau i glywed beth a ddywedant wrthym. Gostwng ni i ddeall bod cymunedau sy'n dlawd mewn arian yn gyfoethog mewn patrymau byw. Dyrchafa ni fel y gallwn ddysgu oddi wrthynt sut i adfer bywyd ein gwlad ni.

Mae'n od bod Cymry fel ni wedi llyncu'r hunanoldeb materol sydd mor gyffredin yn ein cymdeithas gyfoes. Ers rhyw ganrif y digwyddodd hyn, medd rhai haneswyr - ers inni gael ein meddiannu gan y pwyslais Prydeinig ar 'ddod ymlaen yn y byd'. Ond fe ddywed ein cefndir Celtaidd a Christnogol yn wahanol wrthym. Oddi yno y daw ein parch at y coed (y derw yn enwedig) a'n mawrygu o'r dŵr (yn afon, llyn neu ffynnon sanctaidd). Maddau inni os ydym yn bradychu'n hanian hanesyddol trwy ein harferion modern. Arwain ni'n ôl at ein gwreiddiau ynot ti.

'Oherwydd y mae'r hyn y gellir ei wybod am Dduw yn amlwg ... Yn wir, er pan greodd Duw y byd, y mae ei briodoleddau anweledig ef, ei dragwyddol allu a'i dduwdod, i'w gweld yn eglur gan y deall yn y pethau a greodd ... '

Diolch i ti am y blodau a'r creaduriaid sy'n eu peillioni. Diolch i ti am y *Madagascar periwinkle* sy'n gallu lliniaru effaith cancr gwaed y plant. Agor ein meddyliau i ddysgu am y llu planhigion llesol sydd gennym ar draws ein daear. Boed inni eu defnyddio a'u diogelu yn ôl dy weledigaeth di.

Diolch i ti am y coed sydd yn ein byd. Deffro ni i'w pwrpas yn cadw'r dŵr gyda'r wyneb, yn clymu'r pridd ynghyd, yn cyfrannu at ein hawyr iach a'r lleithder ynddo. Rho ynom awydd i blannu coed yn lle eu torri a'u clirio o ffordd ein datblygiadau ni. Maent yn llythrennol yn anadlu bywyd i'r byd ac yn cadw'r anialwch draw.

Diolch i ti am deulu dyn a'i amrywiaeth rhyfeddol. Yn y corff, yr ydym yn rhan o fywyd y cread - yn dilyn patrwm amser a daear. Mae hadau'r dyfodol i'w hau gennym o hyd. Ond dysgwn (gan genhedloedd y dwyrain gan mwyaf) bod undod corfforol ar ei orau yn arwain at undod ysbrydol. A dyna'th wers di yn ein hwynebu eto - trwy ein huniaethu'n hunain â thi ac â'r cread, cawn fywyd llawn a chytbwys.

'Hysbysodd i ni ddirgelwch ei ewyllys, y bwriad a arfaethodd yng Nghrist yng nghynllun cyflawniad yr amseroedd, sef dwyn yr holl greadigaeth i undod yng Nghrist, gan gynnwys pob peth yn y nefoedd ac ar y ddaear.'

Bendithia ni i'th waith, i'th Eglwys, i'th fyd, i'th bobl, oherwydd Iesu Grist, dy Fab. Amen.

Roger Ellis Humphreys

Gwirionedd

Darlleniad   **Colosiaid 3, 1-17**
Ioan 18, 28-38

Ein Tad, clywsom gwestiwn Pontius Peilat, 'Beth yw gwirionedd?' Gwyddost fod llawer heddiw yn ein plith yn dal i ofyn yr un cwestiwn. Tybed beth oedd bwriad Peilat yn dweud y fath beth? Ai awgrymu yr oedd nad yw gwirionedd o unrhyw werth yn wyneb y dasg anodd o redeg y byd? Bod rhaid i'r gwirionedd a phobl fel Iesu fod yn 'hyblyg' a chael eu derbyn neu eu gwrthod fel mae'n gyfleus? Ai bod yn wawdlyd oedd ef?

Beth bynnag oedd ei bwrpas manwl, mae'n amlwg fod dy Eglwys wedi dysgu'n wahanol ar hyd yr oesau:

'Y mae'r glaswellt yn crino a'r blodeuyn yn gwywo (medd y proffwyd), ond y mae gair ein Duw ni yn sefyll hyd byth.'

Ac yn ogystal â'n hatgoffa mai glaswellt yw'r bobl, fe ddywed dy Feibl wrthym, 'Dy Air di yw'r gwirionedd.'

'Er mwyn hyn (meddai Iesu wrth Peilat) yr wyf fi wedi cael fy ngeni, ac er mwyn hyn y deuthum i'r byd, i dystiolaethu i'r gwirionedd. Y mae pawb sy'n perthyn i'r gwirionedd yn gwrando ar fy llais i.'

Wyt ti, ein Duw, yn ein gweld fel rhai sy'n perthyn i'r gwirionedd? Ydym ni heddiw yn gwrando ar lais dy Grist?

Helpa ni wrth inni wynebu'r cwestiwn mawr hwn, oherwydd sefyll drosot ti a chyda thi yw ein dymuniad. Yn nyfnder ein calonnau yr ydym am fod ymhlith dy bobl di. Hwy sy'n deall cyfrinach y gwirionedd - mai dy gariad yw ei graidd a'i galon. Hwy sy'n gallu arfer a defnyddio'r gwirionedd i wneud bywyd yn werth ei fyw. Dy Eglwys di sy'n gofalu, heb amodau, am bobl a daear, natur ac ysbryd. Hithau sy'n gallu newid y byd - ei newid o'n ffordd ni i'th batrwm dithau. Dyma'r iachawdwriaeth sydd gan dy Grist i'w chynnig i'r holl bobl! Ti yw'r gwirionedd y bu ef yn dyst iddo.

Ynghanol sŵn y lleisiau sydd heddiw'n dweud wrthym nad oes Duw, dy fod ti'n ffrwyth dychymyg pobl ofnus (rhai sy'n ofni byw, medden nhw), helpa ni i'th gyhoeddi fel yr unig Dduw byw sy'n bod. Galluoga ni i'th sefydlu fel craidd bywyd ei hunan. Gad inni dy ddisgrifio fel yr un sy'n rhoi blas ar y broses fecanyddol o fodoli. Gweithreda trwom ni fel yr wyt yn gweithio trwy dy Grist.

Gwna ni'n gyfryngau i'th Faddeuant.
Gwna ni'n gyfryngau i'th Gariad.
Gwna ni'n gyfryngau i'th Obaith.
Gwna ni'n gyfryngau i'th Wirionedd.

Beth yw gwirionedd? Dy wirionedd sy'n rhoi inni lwybr i'w gerdded ar hyd ein byw; a'th wirionedd di yn Iesu Grist sy'n rhoi nerth i ddilyn y llwybr tra byddwn ni. Dy wirionedd di sy'n taflu goleuni arnom ni'n hunain ac ar y ffordd wrth inni ei thramwyo.

Y gwirionedd yw ein bod yn byw o'th herwydd - 'Ar wahân i mi, ni allwch chwi wneuthur dim.'

Cadw ni gyda thi, yn bobl y ffordd, y gwirionedd a'r bywyd - er gogoniant i'th enw. Amen.

Roger Ellis Humphreys

Addoli

Darlleniad   Salm 96

'Deuwn, canwn yn llawen i'r Arglwydd, rhown wrogaeth i
graig ein hiachawdwriaeth. Down i'w bresenoldeb â diolch,
rhown wrogaeth iddo â chaneuon mawl. Oherwydd Duw
mawr yw'r Arglwydd, a brenin mawr goruwch yr holl
dduwiau.'

Diolchwn i ti, ein Tad, am y gallu i addoli, a rhyfeddwn at ba mor
barod wyt ti i dderbyn ein haddoliad. Cofiwn mai creaduriaid
syrthiedig ydym, ac eto gwyddom nad oes dim yn fwy hyfryd gennyt
ti na sŵn moliant dy bobl. Rho yn ein calonnau ni felly yr awydd i'th
ganmol, ac agor ein meddyliau i dderbyn dy wirionedd.

O! Dduw, rho inni'r doethineb yn awr i ymatal rhag ceisio dy
rwydo mewn geiriau, ymaflyd ynot â'n meddwl, caethiwo dy
ryfeddod â'n syniadau'n hunain. Yn hytrach, gad inni syllu arnat, a
gad i'r syllu hwnnw droi'n adnabyddiaeth, a'r adnabyddiaeth yn fawl.
Gwared ni rhag llefaru geiriau gwag a bodloni ar hen ddelweddau,
arbed ni rhag llygru dy burdeb â'n pechod, a rho inni'r wefr honno a
deimla'r sawl a ddaw i undeb bywiol â thydi.

A ninnau'n dyfod atat fel y daw plentyn at dad sy'n ei garu, gwna
ni'n ymwybodol o'th gariad anhraethol tuag atom. Cariad a
ddatguddiwyd inni yn dy Fab, Iesu, a chariad y dylem ninnau ei
adlewyrchu yn ein hymwneud â'n gilydd. Gwyrth fwyaf ein hanes ni
yw i'r fath gariad gael ei dywallt dros y fath rai. Boed ein haddoliad
felly yn ddim llai nag ymateb byw i'r cariad hwnnw. Boed inni bob
amser ymroi i'w adlewyrchu, a boed inni sylweddoli nad yw sôn am
garu'n ddigon, na ellir moli heb weithio, ac na ellir addoli'n iawn heb
dorri'r groes sydd ar lwybr bywyd. Ein Duw, cynnal ni ac arwain ni,
boed dy Air yn gysur ac yn gerydd inni, a thu ôl i'r dirgelwch sy'n dy
guddio oddi wrth dy blant gad i ni ganfod gwedd yr Arglwydd Iesu.

Gweddïwn, Arglwydd, dros y rhai hynny nad ydynt heddiw'n

gallu addoli. Rhai am fod eu calon yn drwm a'u byd yn dywyll, rhai am na fu iddynt erioed gael eu hannog i blygu glin a chanu emyn, rhai am fod casineb ac ofn yn llenwi eu calon. O! Dad, gwared hwy a ninnau oddi wrth bob trychineb a thrallod, pob rhagfarn ac anwybodaeth, pob pechod a bai. A hynny, nid am fod ynom ni haeddiant, ond er mwyn dy enw a'th ogoniant di dy hun, ac er mwyn i'r môr o fawl ehangu a gorchuddio'r ddaear.

Ac o gofio'r ddaear, O! Arglwydd, cyflwynwn i'th sylw di y rhai sydd heddiw'n glaf ac mewn poen, yn bryderus ac mewn trallod, yn wynebu glyn cysgod angau, a heb wybod i ba le i droi. Boed i'th dangnefedd di fod arnynt a'th ysbryd yn eu plith, ac os yw'n bosibl i ti ein defnyddio ninnau i helpu'r llesg a'r gwan, boed felly. Caniatâ i'n mawl orlenwi'n bywyd, ac i'n haddoliad fynd yn gymysg â'n gwaith wrth inni ennill y byd i ti. Amen.

Elwyn Richards

Y Rhai sy'n Gofalu

Darlleniad   **Mathew 25, 31-46**

Moliannwn dy enw, O! Dduw, am dy gariad mawr tuag atom. Cofiwn am y modd y bu i ti ddod i'n byd yn Iesu Grist, dy Fab, i ddangos i ni dy gariad, a diolchwn fod rhywrai ym mhob oes wedi dilyn ei esiampl ef.

Heddiw cofiwn yn arbennig am y rhai hynny sy'n gofalu am eraill. Diolchwn i ti amdanynt a'r modd y maent yn datgan dy ogoniant drwy wasanaethu eu cyd-ddynion. Y mae rhai yn gweini ar y cleifion, eraill yn cysuro'r trallodus, eraill yn ymgeleddu'r digartref a'r diwaith, y ffoadur a'r sawl sydd heb gyfaill. Gad iddynt wybod dy fod ti nid yn unig yn cymeradwyo'u gwasanaeth ond yn abl i'w cynorthwyo hefyd.

Diolchwn, O! Dad, am bawb a'th deimlodd di'n agos pan oedd eu gofal yn fawr, am bob un a glywodd dy lef ddistaw fain yng nghanol dwndwr gwaith a gorchwyl. Credwn, Arglwydd, dy fod yn paratoi dy bobl at bob tasg ac yn eu nerthu ar gyfer pob gofyn: credwn nad oes ar y cynorthwywyr angen help, ac y gellir llafurio a gofalu yn ddiorffwys. Yn dy drugaredd symbyla ninnau hefyd, y rhai y mae baich ein gofal yn ysgafn, i gefnogi a chysuro'r rhai sy'n gorfod dyfalbarhau.

Meddyliwn yn arbennig am wŷr a gwragedd sy'n gofalu am aelodau o'u teulu. Maent efallai yn brysur y dydd ac yn effro'r nos, yn methu ymollwng i afael cwsg ac yn methu rhoi eu gofal heibio. O! Dad, fe wyddom y gelli di roi tangnefedd. Addewaist i'th ddisgyblion gynt dy dangnefedd di dy hun. Nid fel y mae'r byd yn rhoi yr wyt ti yn rhoi i ni. Deisyfwn felly ar i'th ysbryd ein hamddiffyn rhag pob digalondid a'n harbed rhag mynd yn ysglyfaeth i hunandosturi. Cyfeiria ni bob amser i edrych ar Iesu pan yw'r gofyn yn fawr, ac i wrando ar ei eiriau pan yw chwerwder yn agos:

'Yn wir rwy'n dweud wrthych, yn gymaint ag i chwi ei wneud i un o'r lleiaf o'r rhain, fy mrodyr, i mi y'i gwnaethoch.'

Gweddïwn, Arglwydd, nid yn unig dros y rhai sy'n gofalu o fewn cylch eu teulu a'u cyfeillion, ond hefyd dros y rhai sydd wrth eu gwaith yn gweini - meddygon a gweinyddesau, cynorthwywyr cartref a gweithwyr cymdeithasol, y rhai sy'n ceisio dwyn cymorth i bobl dlawd y byd a'r rhai sy'n gweithio ymysg ffoaduriaid.

Lle mae'r dasg yn fawr a'r adnoddau'n brin, bydd di yno i'w harbed rhag teimlo fod y gwaith yn ofer. Lle mae rhwystrau'n cynyddu a'u heffeithiolrwydd i bob golwg yn lleihau, cadw hwythau rhag digalondid. A lle maent hefyd yn llwyddo ac yn canfod dioddefaint a gwendid, tristwch ac anobaith yn cilio, cadw hwy rhag balchder. Argyhoedda ni mai eiddot ti yn unig yw'r gallu tragwyddol, mai ti yn unig sydd feistr amser, ac mai ysbeidiol fyddai pob buddugoliaeth fach heb dy fuddugoliaeth fawr dy hun.

Canmolwn dy enw am Iesu Grist, dy Fab, gan gofio nid yn unig iddo ef ofalu a gweini ond iddo hefyd goncro angau a'r bedd. Gad i fywyd newydd yr atgyfodiad fod ynom ym mhob gwaith a gofal, ac i'r Crist byw fod yn ein hymyl beth bynnag a wnawn:

> 'Yn anheddau'r tlawd a'r unig
> Ar balmentydd oer y dref,
> Dangos wnawn dosturi'r Prynwr,
> Rhannwn ei drugaredd gref:
> Hyn fo'n gweddi wrth ymestyn
> At bob llwyth a gwlad sy'n bod:
> Gras, i ti, Iachawdwr, Frenin,
> Syrthied pawb ar ddeulin clod.'

Yn enw Iesu Grist ein Harglwydd, gan ofyn maddeuant am bob bai. Amen.

Elwyn Richards

Sancteiddrwydd

Ein Tad sanctaidd, yn yr oedfa hon yn awr fe hoffem ni unwaith eto ein cyflwyno ein hunain o'r newydd i ti. Fe wyddom nad oes ynom ddim sy'n peri ein bod yn deilwng i gael y fraint fawr hon, ac nad ydym yn wir yn fwy gwerthfawr yn dy olwg na gweddill dy blant sydd eto heb adnabod dy enw. Ond am i ti ein galw a'n gwahodd drwy dy Fab, ac am i ni gael y gras i ymateb i'th alwad, am hynny, Arglwydd, rydym am ein cyflwyno ein hunain i ti, gan ofyn i ti ein sancteiddio.

Ac wrth inni ddyfod ger dy fron, ein gweddi yw y bydd i ti siarad â ni yn awr. Dywed air dy hunan wrth galon pob un ohonom. Oherwydd ofer fydd ein hemyn a'n pregeth a'n gweddi heb adlais o'th acenion di.

Arwain ni i ganfod dirgelion yr ysgrythur, Arglwydd, a maddau inni am wrando ar ein geiriau ein hunain heb sylweddoli mai dy leferydd di sy'n gallu troi geiriau'r byd yn eiriau'r bywyd. Wedi'r cwbl, fe glywn ni'r byd yn sôn am gariad a chyfiawnder a maddeuant, ond ti dy hun yn unig sy'n sancteiddio'r geiriau hyn, ac yn Iesu Grist y gwelsom eu hystyr hwy.

Heddiw gad i ni ei weld ef yn yr oedfa hon, ac o'i weld ei adnabod, ac o'i adnabod ein cyflwyno ein hunain yn gyfan iddo. Oherwydd i ni sy'n llesg a gwan a gwamal nid oes neb arall yn ddigonol, neb arall yn ddigon cryf ei gariad. Iesu'n unig all droi ein gwendid yn wasanaeth, ein cyffredinedd yn arbenigrwydd teyrnas nefoedd.

Diolchwn am ei waith ymysg dy bobl ymhob cyfnod hyd yn awr, ac am y ffaith fod y cof am y seintiau a'r merthyron a ysbrydolwyd ganddo ef o hyd yn fyw yn yr Eglwys. Caniatâ i ninnau eto gael ein cyffroi ganddo, ac i'r goleuni a lewyrchodd ar y ffordd i Ddamascus lewyrchu ar ein bywydau ninnau, fel y byddwn ni hefyd yn ddall i bob dim ond gogoniant dy deyrnas.

Ac i ofal y deyrnas honno fe hoffem ni yn awr gyflwyno pawb ac arnynt angen rhan arbennig yn ein gweddi. Yn y lle cyntaf, Arglwydd, fe weddïwn dros y claf a'r llesg a'r unig ym mhob man. Ar ein daear fe fu Iesu Grist yn gryfder ac yn iachâd i rai fel hyn.

> 'Aeth y trallodus ar eu hynt
> Yn gwbl iach o'th wyddfod gynt.'

Felly, ein gweddi yw:

> 'Ffisigwr mawr, O! rho dy hun
> I'n gwneuthur ninnau'n iach bob un.'

Yn ogystal â thros y rhai hynny y mae iddynt obaith iachâd, fe weddïwn hefyd, Arglwydd, dros y rhai sy'n marw, y rhai na allwn wneud mwy drostynt na'u cyflwyno'n syml i'th ofal di. Bydd gyda hwy a chyda'u teuluoedd, ac argyhoedda ni sy'n teimlo mor ddiwerth wrth weld bywyd yn darfod, mai bywyd newydd yw'r bedd i'r rhai a gred ynot.

Yn olaf, Arglwydd, fe weddïwn dros sancteiddrwydd dy enw di yn y dyddiau hyn. Gofynnwn i ti eto ymweld â'n pobl, ac atgyfnerthu'r rhai sy'n gweithio gwaith dy deyrnas, fel y sylweddolwn o'r newydd na fydd ein llafur fyth yn ofer ynot.

Yn lle ein digalondid dyro ffydd, yn lle ein hansicrwydd obaith, ac yn lle'r difaterwch sydd heddiw'n caledu'n calonnau ac yn llindagu dy efengyl, yr awydd i ymroi gorff, meddwl ac ysbryd i waith dy deyrnas:

> 'Arglwydd, agor di ein llygaid,
> Arglwydd, adnewydda'n ffydd,
> Maddau inni ein hanboaith
> Tro ein nos yn olau dydd;
> Dyro inni
> Obaith newydd yn dy waith.'

Yn enw Iesu Grist. Amen.

Elwyn Richards

Gair Duw

Darlleniad   Exodus 3, 1-15

'Y mae gair Duw yn fyw a grymus; y mae'n llymach na'r un cleddyf daufiniog, ac yn treiddio hyd at wahaniad yr enaid a'r ysbryd, y cymalau a'r mêr, ac y mae'n barnu bwriadau a meddyliau'r galon.'

O! Dduw ein Tad, diolchwn i ti yn awr am y cyfle hwn i'th addoli mewn oedfa arall. Diolchwn am bob un a fu yma o'n blaen yn craffu ar dy Air ac yn rhoi eu ffydd yn dy addewidion. Ac wrth nesáu at dy orsedd cyffeswn ein holl feiau ger dy fron, gan y gwyddom nad oes dim yn guddiedig oddi wrthyt ti, a bod gennyt ti faddeuant a thrugaredd ar ein cyfer.

Wrth ddyfod atat rydym yn ymwybodol mai yng nghwmni dy holl ddilynwyr ar hyd yr oesoedd y deuwn. Diolchwn am iddynt hwy dy gael yn un teilwng i roi eu hyder ynddo, ac am i ti ar hyd y canrifoedd ddod i gymdeithas â'th bobl mewn mannau sanctaidd fel hyn.

Rydym yn cofio i ti gyfarfod Moses yn yr anialwch lle roedd y berth yn llosgi heb ei difa, ac i'r tân hwnnw a ysai'r berth gynnau'n fflam yn ei galon yntau. Arglwydd da, fe hoffem ni deimlo gwres y fflam heddiw. Rydym yn byw mewn byd sydd mor oer yn aml, byd sy'n ddifater ac yn anystyriol o anghenion dynion. Ac mewn awyrgylch felly, Arglwydd, y mae perygl i'n perthynas ni â thi fynd yn oer, ac i lwydrew difaterwch ddisgyn ar ymwneud dy bobl â'i gilydd. Felly, ein gweddi yw ar i ti adfer tipyn o wres dy fflam i galonnau dy bobl, fel y bydd i'r byd deimlo gwres y tân sy'n llosgi ac na all dim ei ddifa.

Ein Tad, yn ogystal â'r gwres i'n dadebru fe hoffem ni gael hefyd beth o oleuni'r fflam yn ein bywyd. A'r Beibl yn ein dwylo rydym yn diolch am bob un a fu'n dwyn goleuni o'th Air i oleuo bywydau dynion. Ie, tywyll iawn fyddai'r byd heb y goleuni hwn:

'O Arglwydd, dysg im chwilio
I wironeddau'r gair,
Nes dod o hyd i'r Ceidwad
Fu gynt ar liniau Mair;'

Ar hyd y canrifoedd yr wyt ti, ein Tad, drwy'r ysgrythur wedi arwain rhywrai i'th adnabod yn well, ac effaith adnabyddiaeth lwyrach ohonot ti yn ddieithriad fu dwyn goleuni i fywydau rhywrai eraill. Rydym oll mewn dyled i'r gwŷr a'r gwragedd a'th adnabu di drwy dy Air. Pobl a fynnodd fod eu cyd-ddynion yn cael gwell bywyd am iddynt eu gweld yng ngoleuni dy deyrnas. Mae'r hen yn cael ymgeledd, a'r plant yn cael addysg, a'r gwan yn cael cynhaliaeth heddiw am i rywrai sylweddoli mai dy eiddo di oeddynt.

Ond fe wyddom, Arglwydd, er hynny, y gellir diffodd pob golau, ac mae'r bendithion a ddaeth inni drwy'r Gair mewn perygl o fynd i golli heddiw oherwydd ein hunanoldeb ni. Gad i ni felly glywed y Gair yn ein barnu, ac yn treiddio hyd at ein cymhellion dyfnach; gad i ni ganfod ynddo nid yn unig gysur, ond hefyd her a symbyliad i weithio:

'Dysg imi gerdded mwy bob cam
Gan feddwl am d'orchmynion;
Boed ynddynt hwy fy serch a'm blys,
O wir ewyllys calon.'

O! Dduw, fe weddïwn hefyd dros y rhai hynny nad yw'r Gair eto wedi cyffwrdd eu bywyd i'w gwared o'u dioddef. Y llu mawr yn ein byd sydd yn byw mewn ofn ac yn marw drwy drais, y ffoaduriaid sy'n dianc o flaen rhyfel a'r rhai sy'n marw o newyn. Wrth eu cyflwyno i'th ofal di, fe ofynnwn hefyd am dy faddeuant, gan weddïo y bydd i ti arwain llywodraethwyr y byd i liniaru baich eu dioddef. Hyn a ofynnwn yn enw Iesu Grist ein Harglwydd. Amen.

Elwyn Richards

Ein Byd

Darlleniad   Genesis 1

'Yn y dechreuad creodd Duw y nefoedd a'r ddaear.'

Ein Tad, yr hwn wyt yn y nefoedd, sylweddolwn heddiw mai dy ofal a'th gynhaliaeth sydd wedi ein cadw hyd y munudau hyn. Er inni grwydro a throi cefn a'th anwybyddu lawer gwaith, ac er inni fod yn y fan hyn o'r blaen, fe deimlwn yn awr dy gariad yn ein cofleidio a'th freichiau tragwyddol yn ein cynnal.

Am hynny, Arglwydd, gad inni unwaith eto gael yma gymdeithas â thydi, fel y bydd y munudau hyn yn funudau o weld newydd ac o adnabod llewyrch yn hanes pob un ohonom.

Diolchwn i ti yn arbennig heddiw, Arglwydd, am dy holl ddaioni tuag atom. O'n cylch ym mhob man fe welwn dy fendithion a sylweddolwn gymaint y dibynnwn arnat. Nid damwain yw hyfrydwch dy fyd di, ac nid camgymeriad yn rhaglen y bydysawd yw ein bywydau ninnau. Ond yn hytrach fe'n gosodaist mewn byd a rhoi ynddo holl fendithion dy ragluniaeth at ein gwasanaeth.

Maddau i ni felly ein bod ni mor aml wedi camddefnyddio dy roddion, wedi pentyrru cymaint ar gyfer ein hunain er inni wybod am rai oedd mewn angen yn ein hymyl.

Clodforwn dy enw, O! Dduw, am fentro ein gwneuthur yn greaduriaid a all dy dderbyn neu dy wrthod. Arglwydd, diolchwn am y rhyddid hwnnw ac am dy drugaredd yn ein dioddef er gwaetha'n gwrthryfel.

Heddiw, os yw'n bosibl, dwg ein calonnau yn ôl atat, a gwna ni unwaith eto'n bobl a fydd yn llwyr ddibynnol arnat, oherwydd os nad ymdeimlwn ni â'r ddibyniaeth honno, ni ddeuwn byth atat.

Maddau inni am bwyso ar ein golud ein hunain mor aml, am

ymddiried yn ein heiddo a'n hadnoddau gan fod yn ddibris o'th bethau di. Argyhoedda ni na allwn ond bodoli hebot, ac nad yw'r bywyd sy'n fywyd yn wir ond yn bosibl mewn perthynas â thi. Gad i ni bob dydd dreiddio fwyfwy i'r berthynas yna fel y try pethau'r byd, i ni, yn bethau'r bywyd.

Cofiwn gerbron dy orsedd hefyd, Arglwydd, am bawb nad ydynt heddiw yn gyfrannog o'n golud ni. Mewn sawl gwlad mae dy blant heddiw mewn angen ac yn dioddef newyn neu ryfel neu effeithiau trychineb naturiol. Beth bynnag fo'u hargyfyngau, bydd di gyda hwy a dyro yn ein calonnau ninnau yr awydd i'w cynorthwyo. Oherwydd fe wyddom ni, Arglwydd, nad oes gennyt ti ddwylo, nad oes gennyt ti weithwyr ar wahân i ni. Defnyddia ni, felly, yng ngwaith dy deyrnas a dyro yn ein calonnau y gras i gyflawni dy waith.

Gweddïwn hefyd, Arglwydd, dros y rhai sy'n peri dioddef a thorcalon i'w cyd-ddynion. Fe wyddom ni mai creaduriaid hunanol ydym, O! Dduw, ond gwyddom hefyd y gallwn ni gael ein gweddnewid nes y byddwn fel tydi. Lle bynnag y bo trachwant heddiw, diffodd y nwyd, O! Dad; lle bynnag y bo hunanoldeb, diwalla'r angen; a lle bynnag y bo dynion a merched yn sathru ei gilydd ar lawr, bydded heddwch yn y canol. Arwain dy blant o bob lliw a llun a chenedl atat dy hun a dyro i'r teulu ar y llawr brofiad o dangnefedd y lliaws yn y nefoedd.

Yn olaf, Arglwydd, fe weddïwn drosom ein hunain yn y dyddiau hyn. Yng nghanol ein digonedd cadw ni rhag syrthio i afael materoliaeth, ac yng nghanol seciwlariaeth ein cyfnod argraffa ar ein calonnau mai pobl sydd bwysicaf yn y diwedd. Dysg ni bob dydd i estyn llaw i dderbyn gennyt ti fel y cawn y gras i rannu dy fendithion ar y ddaear.

Os oes unrhyw un yn wael heddiw, bydd di'n feddyg, O! Dad; os oes unrhyw un yn llesg, bydd yn gynhaliwr; lle mae gofalon y byd yn pwyso'n drwm, boed i'th efengyl lewyrchu yn y tywyllwch, ac yng nghanol galar, dyro'r tangnefedd na all y byd ei amgyffred. Er mwyn dy enw. Amen.

Elwyn Richards

Gras

Darlleniad   Effesiaid 2, 1-10

'Arglwydd grasol, dy haelioni sy'n ymlifo trwy y byd,' ac fe ddown atat heddiw i gydnabod yn ddiolchgar y gras arbennig sydd ynot ti. Cawsom ein dysgu mai at orsedd rasol y byddwn yn troi wrth weddïo, a diolchwn yn awr am hynny.

Diolch am y sicrwydd dy fod ti yn un sy'n teyrnasu. Yr ydym yn rhyfeddu wrth glywed gan y gwyddonwyr am ehangder y bydysawd ac am gymhlethdod a chywreinrwydd y cwbl, ac ofni y byddem heb wybod am ôl dy fysedd grasol di yn y llunio a'r cynnal. Nid oes un rhan o'r greadigaeth y tu hwnt i'th sylw nac un agwedd o fywyd dynoliaeth na byd nad yw'n dianc o'th ymwneud.

Diolchwn mai yn unol â'th ras yr wyt yn arglwyddiaethu drosom. Mewn byd o deyrnasu anghyfiawn, gyda gormes a grym yn cael y trechaf, ac anhrefn ac anobaith yn rhemp, diolch am y sicrwydd mai trugaredd sy'n rheoli'r bydysawd ac mai cariad anhaeddiannol sy'n delio â dynoliaeth.

Cofiwn fod dy ras di wedi ei amlygu i ni yn Iesu. Yr un a ddaeth atom yn llawn gras a gwirionedd, a ninnau'n cael derbyn o'i gyflawnder ef, gras ar ôl gras.

Dyma'r gras a fynnodd fod y tlodion yn cael clywed y newydd da. Y gras oedd yn ceisio ac yn cadw'r colledig. Y gras oedd yn cyffwrdd ac yn iacháu. Y gras oedd yn cofleidio ac yn derbyn. Y gras oedd am ryddhau dyledwyr a maddau i bechaduriaid. Y gras oedd yn agor drysau'r deyrnas i'r gwrthodedig a'r dirmygedig.

Yn arbennig, Arglwydd, cofiwn am ras Calfaria. Y gras a dderbyniodd y cwpan a'i yfed i'r gwaelod. Y gras a weddïodd am faddeuant i'w wrthwynebwyr ac a ddioddefodd drostynt. Y gras a dywalltodd ei fywyd yn aberth dros ddynoliaeth.

Yr oedd yn gyfoethog, ond fe ddaeth yn dlawd drosom, er mwyn i ni ddod yn gyfoethog trwy ei dlodi ef. Ef yn wir yw rhodd dy ras i ni.

Diolchwn, O! Dduw, am dy ras di yn ei atgyfodi ar y trydydd dydd a'th addewid mai ef yw'r blaenffrwyth, yr Adda diwethaf, y cyntaf-anedig o blith y meirw, i fod ei hun yn gyntaf ymhob peth.

Y mae helaethrwydd dy ras y tu hwnt i'n deall, Arglwydd, ond gwyddom mai mewn gras yn unig y mae gwir fywyd, yn y byd hwn a'r byd sydd i ddod.

Gweddïwn am barhad gwaith gras arnom, ac am i ninnau ymdrechu i roi'r cyfle iddo i'n gwneud yn wir blant i ti. Dymunwn gael ein llenwi â gras, fel y gallwn fod yn rasol yn ein hymwneud ag eraill. Yn union fel yr wyt ti'n peri i'th haul godi ar y drwg a'r da, ac yn rhoi glaw i'r cyfiawn a'r anghyfiawn, cynorthwya ni i weithredu heb ffafriaeth, i fod yn garedig hyd yn oed wrth yr anniolchgar a'r drygionus ac i fod yn drugarog, fel yr wyt ti'n drugarog.

Uwchlaw popeth, Arglwydd, gwna ni'n rymus i gyhoeddi efengyl gras Duw, er mwyn rhoi bywyd i'r byd, a bydded i ni fod yn ymwybodol ym mhob amgylchiad, fod gras ein Harglwydd Iesu Grist gyda ni bob amser. Amen.

Robin Samuel

Trugaredd

Darlleniad   **1 Timotheus 1, 12-17**

'Trugaredd dod i mi,
Dduw, o'th ddaioni tyner.'

Dduw sanctaidd a phur, gogoneddus a pherffaith, cydnabyddwn di fel Duw cariad. Hanfod dy fod yw dy gariad, y cariad perffaith a chyflawn yna sy'n rhoi bod i'th drugaredd, y trugaredd naturiol yna sy'n cael ei ddangos i ni yn dy ddarpariaethau a'th roddion ar gyfer y ddynoliaeth. Nid Duw wyt ti sy'n dal yn ôl yn wyneb anffyddlondeb a phechod dyn, ond yn hytrach Duw yn ei drugaredd sy'n edrych y tu hwnt i'n cyflwr, ac yn rhoi i ni'r hyn oll sydd ei angen arnom i'n cynnal a'n cadw. Yng ngeiriau'r Salmydd:

'Y mae'r ddaear, O! Arglwydd, yn llawn o'th ffyddlondeb.'

Y pethau hynny yr ydym yn eu cymryd mor ganiataol ar adegau, heb sylweddoli eu bod yn arwydd o'th ddaioni a'th ofal am bob un ohonom, ac yn tanlinellu dy realiti a'th waith yn ein plith.

Eto, cydnabyddwn fod dy drugaredd yn mynd tu hwnt i gynhaliaeth bywyd, a'th gariad yn cael ei arddangos i ni, nid yn unig yn dy roddion, ond yn fwy o lawer ym mherson dy Fab, Iesu Grist, yn yr hwn y ceir trugaredd mwy gogoneddus o lawer. Y cariad yna sy'n arwydd o'th drugaredd tuag at gyflwr dyn. Gwelwn yn dy Fab dy ddarpariaeth ar ein cyfer, y ddarpariaeth yna sy'n mynd â ni o grafangau pechod ac i ganol y bywyd gogoneddus sy'n rhodd i ni. Derbyn ein diolch, felly, am iachawdwriaeth, yr iachawdwriaeth hon sy'n agor drws i drugareddau pellach, wrth i'th lân Ysbryd weithio yn ein calonnau, gan ddatguddio dy ewyllys a'th ffordd.

Yng nghysgod dy drugareddau ar ein cyfer, ac wrth i ni ym mherson dy Fab, drwy ffydd, agor ein llygaid i sylweddoli ac i gydnabod y ffynhonnell, sef tydi dy hun, cynorthwya ni, ar batrwm bywyd Iesu, i ddangos trugaredd tuag at eraill. Boed inni wneud wy amynedd a maddeuant, trwy offrwm gofal a gwasanaeth, i gair, gweithred a meddwl, yn ein gweinidogaeth a'n iadaeth, fel y gwelo eraill trwom ni, a thrwy waith dy lân Ysbryd, cariad tragwyddol yna sydd ohonot ti, ac a enynna eto gariad yng nghalon dyn tuag atat ti dy hun.

'Dysg inni'r ffordd i weini'n llon
Er lleddfu angen byd o'r bron,
Rhoi gobaith gwir i'r gwan a'r prudd,
Ac archwaeth dwfn at faeth y Ffydd.'

Gofynnwn hyn i gyd yn enw dy annwyl Fab, Iesu Grist. Amen.

Eifion Arthur Roberts

Maddeuant

'Uwch pob rhyw gariad is y nef
Yw cariad pur fy Nuw,
Anfeidrol foroedd dyfnion maith,
Heb fesur arno yw.'

Cydnabyddwn, O! Dad, mai hanfod dy fodolaeth yw dy gariad - 'Duw cariad yw' - ac o ganlyniad dy fod ti'n ymwneud â'r greadigaeth a bywyd dyn yn ôl llinyn mesur y cariad hwn. Y cariad yna sy'n arwyddo dy berffeithrwydd a'th ogoniant, ac sy'n cael ei amlygu i ni yn dy ofal amdanom a'th ddarpariaeth ar ein cyfer. Cydnabyddwn dy gariad fel cariad diderfyn. Cariad nad oes cyfyngu arno, cariad cyflawn sy'n mynd tu hwnt i hualau'r byd hwn, gan gofleidio dyn ymhob cyflwr a phob angen. Oherwydd Duw fel yna wyt ti! Tad trugarog sy'n edrych ar ddynolryw yn dy dosturi, y tosturi yna sy'n arwydd o'th gariad, ac sy'n rhoi bod i faddeuant.

Ym mherson dy Fab, Iesu Grist, gwelwn y maddeuant yna'n troi'n wahoddiad:

'Ond rhad anfeidrol yw ei ras,
I bechaduriaid cyndyn cas;
A garodd Ef, fe'u dwg i maes
O'u pechod ac o'u braw.'

Y maddeuant yna a welir yn nhrefn rhagluniaeth, yn dy ddarpariaeth di, wrth i'r Iesu farw tros ein pechod, ond yn ei atgyfodiad gogoneddus goncro'r bedd, 'colyn pechod', a'n dwyn i gymod â thydi dy hun, fel bod dy faddeuant nid yn unig yn ffaith, ond trwy ffydd yn brofiad ac yn realiti oddi mewn inni heddiw. Cyffeswn ein gwendidau a'n ffaeleddau ger dy fron, yn ein perthynas â thi ac yn ein perthynas â'n gilydd. Deisyfwn dy faddeuant am bob peth negyddol yn ein bywydau, sy'n aml yn arwyddion o'n gwendidau a'n hanallu. Trwy brofiad dy faddeuant, cwyd ni o afael yr hyn oll sy'n groes i'th ewyllys, ac yn hyn i gyd tyn ni'n nes atat mewn gair, gweithred a meddwl.

Gofynnwn ar i ti, yn dy faddeuant, gofio'r byd. Yn sŵn ei ryfeloedd, yn wyneb anghyfiawnder, yn nioddefaint y diniwed, maddau a thrugarha wrth dy bobl. Ac yn wyneb realiti, gweddïwn ar i ti ein cymell a'n harwain i ymarfer maddeuant yn ein perthynas â'n gilydd yng nghyd-destun ein bywyd fel pobl, fel eglwysi ac fel cymdeithas. Y weithred yma sy'n gyfrwng i adeiladu perthnasau gan roi bod i ymddiriedaeth a goddefgarwch, fel ein bod ni'n arwydd, a'n gweithredoedd yn dangos ôl y maddeuant mwyaf a welodd y byd hwn, sef ym mherson dy Fab, ein Harglwydd Iesu Grist. Amen.

Eifion Arthur Roberts

Ein Gwlad

Darlleniad   **Llyfr y Pregethwr 44, 1-15**

Creawdwr byd a lluniwr cyfandiroedd, yr hwn yn ei allu a'i ddoethineb a greodd drefn allan o anhrefn, ffurf allan o ddim, a chreadigaeth allan o bosibilrwydd, cydnabyddwn di fel awdur y byd a phob peth sy'n ymlusgo ar hyd wyneb daear, fel rhoddwr bywyd yn yr hwn yr ydym yn symud ac yn anadlu.

Ti, O! Dad, yn dy ddoethineb a greodd ddyn ar dy lun dy hun, i deyrnasu ar diroedd a'r hyn oll sydd arnynt. Derbyn ein diolch, felly, am y rhodd o fywyd, ac am gylch y bywyd yna, sef ein gwlad. Diolchwn i ti am harddwch ei mynyddoedd a'i harfordiroedd, ei chreigiau a'i llynnoedd, y llecynnau gogoneddus yna sy'n abl i greu ynom yr ymdeimlad o agosatrwydd atat ti. Y tirwedd sy'n aml iawn yn gyfrwng i'n gwneud ni y bobl ydan ni, gan roi bod i ffrwyth ym meysydd diwylliant a thraddodiadau. Cydnabyddwn gyfoeth cynnyrch y canrifoedd, yn farddoniaeth, yn llenyddiaeth, yn gerddoriaeth, yn orchestion gwleidyddol, yn ddatblygiadau a chynnyrch diwydiannol, ond yn fwy na dim, ein hiaith - cyfrwng ein datgan a'n cyfleu. Gwarchod hi, yn wyneb bygythiadau cenhedloedd eraill, a thywys ni yn ein defnydd ohoni i'r blynyddoedd sydd i ddod.

Cyffeswn ger dy fron gyflwr ein bywydau yn y presennol - sefyllfa'n gwlad a'i phobl. Wrth inni gydnabod y rhodd o iaith a'r hyn oll sy'n deillio ohonom, efallai fod y cyfan wedi mynd i olygu mwy i ni. Y rhodd yn mynd i olygu mwy na'r rhoddwr, a'r greadigaeth wedi mynd i olygu mwy na'r creawdwr. Cyflwynwn i'th ddwylo gyflwr ein gwlad. Cydnabyddwn nad wyt yn cael y lle teilyngaf posibl yn ein bywyd. Gyda thristwch y cydnabyddwn y troi cefn amlwg ar efengyl dy Fab, y troi yma sy'n rhoi bod i'r holl bethau negyddol hynny yn ein hanes. Deisyfwn dy faddeuant, ond ynghlwm wrth y deisyfiad yna erfyniwn hefyd am gymorth ac am nerth. Yn wyneb newidiadau cymdeithasol, wrth i bobl wynebu temtasiynau'r oes, gweddïwn ar i ti ogoneddu pob ymdrech i gadw'r fflam i losgi. Gweddïwn dros waith yr Eglwys yn ein gwlad, am bregethu'r efengyl, ac am y Cymry sy'n dal i ymateb i alwad a her yr efengyl, ac yn hynny warchod y pethau gorau, y gwirioneddau hynny sydd ohonot ti ac yn rhodd ar ein cyfer ym mherson dy Fab, Iesu Grist. Derbyn, felly, waith dy blant; bydded i ti yn dy drugaredd ddyrchafu'r cyfan a:

> '... deued dydd pan fo awelon Duw
> Yn chwythu eto dros ein herwau gwyw
> A'r crindir cras dan ras cawodydd nef
> Yn erddi Crist, yn ffrwythlon iddo ef,
> A'n heniaith fwyn â gorfoleddus hoen
> Yn seinio fry haeddiannau'r addfwyn Oen.' Amen.

Eifion Arthur Roberts

Yr Ysgol Sul

Darlleniad **Luc 2, 41-52**

'Am yr Ysgol rad Sabbothol,
Clod, clod i Dduw!'

Cydnabyddwn di, O! Dduw, fel un sy'n ei ddatguddio ei hun i ni yn dy greadigaeth. Yng ngeiriau'r emynydd:

'Mae'r nefoedd faith uwchben
Yn datgan mawredd Duw;
Mae'r haul a'r lloer a'r sêr i gyd
Yn dweud mai rhyfedd yw.'

Yn Dduw sy'n llond pob lle, ac yn bresennol ymhob man. Mae holl drefn natur yn dy ddangos am y Duw wyt ti, gan danlinellu dy ogoniant a'th ryfeddod. Ond fe'th welwn yn mynd â'r datguddiad yna ymhellach, drwy roi canolbwynt arbennig iddo, a hynny ym mherson dy annwyl Fab, Iesu Grist, yr hwn y down i wybod amdano yn yr ysgrythur, ac a ddatguddir i ni trwy waith dy lân Ysbryd. Derbyn ein diolch, felly, am yr ysgrythur, yn yr hon y down i wybod, a thrwy ffydd i gredu ac i dderbyn ein hiachawdwriaeth a'n gobaith.

Cydnabyddwn nad yno y gorffen y datguddiad, ond dy fod ti'n ddyddiol yn dysgu rhywbeth newydd i ni, yn amgylchiadau a sefyllfaoedd bywyd, ond yn fwy felly wrth inni ddarllen ac astudio dy Air a'i gynnwys ... wrth inni ddod i ddeall proffwydoliaethau a doethinebau, wrth inni gydganu Salmau, wrth inni ymgyfarwyddo â hanesion unigolion, wrth inni gael cipolwg ar gyflwr eglwysi. Oherwydd Duw tragwyddol wyt ti, a'th ymwneud â dyn yr un o oes i oes.

Derbyn, felly, ein diolch am waith yr Ysgol Sul, am ei hanes yn y gorffennol; am yr unigolion hynny a fu'n gyfrifol am sefydlu a darparu a chynnal; am ymroddiad ei hathrawon ac am gyfoeth dysg ei disgyblion. Diolchwn am y gofal, y cymorth a'r arweiniad, ynghyd â'r ddisgyblaeth a gawsom wrth fynychu'r sefydliad annwyl hwn sydd mor agos at galonnau pawb ohonom.

Sylweddolwn, O! Dad, nad unigolion ynghlwm wrth ein gorffennol ydym ond, yn hytrach, pobl yn byw yn y presennol. Cyffeswn angen ein hoes am ddealltwriaeth sylfaenol o'r efengyl, ac am ddysgu ac ailddysgu hanfodion y ffydd. Cyflwynwn felly i'th ddwylo waith ac ymdrech yr Ysgol Sul heddiw. Mewn oes o ddiffyg amser, mewn oes o ddiffyg diddordeb, yn wyneb cymdeithas fodern a thechnolegol, diolchwn am y fendith a'r llawenydd sy'n dal i gael ei brofi drwyddi, am gyfoeth yr adnoddau sydd ar gael i'w chynorthwyo yn ei gwaith, ac am ymroddiad ei hathrawon a'i disgyblion. Gweddïwn ar i ti ogoneddu'r cyfan, ac y gwelir ffrwyth y llafur ym muchedd y credinwyr ac ym mywyd yr Eglwys. Gad i'w tystiolaeth lifo i heolydd ein cymdeithas, gan gyfeirio cerddediad dyn at yr hwn y tardd pob doethineb ohono, yr hwn sy'n ffynhonnell pob gwirionedd, sef tydi dy hun. Gofynnwn hyn oll, yn enw'r Athro mawr ei hun, Iesu Grist dy Fab. Amen.

Eifion Arthur Roberts

Yr Eglwys

Darlleniad   **Mathew 16, 13-20**

Ein Tad nefol a sanctaidd, wrth feddwl am dy Eglwys cofiwn eiriau Iesu wrth Seimon Pedr:

'Ar y graig hon yr adeiladaf fy eglwys, ac ni chaiff holl bwerau angau y trechaf arni.'

Mae'r geiriau hyn yn galondid mawr i ni yng nghanol y dirywiad ysbrydol sydd yn ein gwlad. Tristwch mawr i ni, O! Arglwydd, yw'r ffaith nad yw'r ieuenctid yn gweld yr Eglwys yn berthnasol i'w bywyd a bod nifer y ffyddloniaid yn lleihau o flwyddyn i flwyddyn:

'Tyred, Ysbryd yr addewid,
O'r ucheldir pur i lawr,
Yn dy ddoniau cadwedigol,
Er aileni tyrfa fawr;'

O! Dduw ein Tad, mae llawer o bobl yn ansicr ynglŷn â'r hyn yw'r eglwys ddelfrydol. Gwyddom nad yw'r Eglwys yn berffaith yr ochr hon i'r nefoedd. Mae ynddi lawer o wendidau a ffaeleddau, ond gallwn weld wrth ddarllen y Beibl yr hyn y dylai hi fod.

O! Arglwydd ein Duw, erfyniwn arnat i roddi dy eneiniad ar bregethu'r efengyl er mwyn i eneidiau gael eu hachub ac i'r saint gael eu hadeiladu yn y ffydd. Cynorthwya ni i sylweddoli mai cyhoeddi dy neges fawr di ydym, a boed inni weld mor bwysig yw i bawb ohonom ddysgu neges dy Air sanctaidd:

'Boed y gair yn llosgi eto
Yn anniffodd dan y fron,
Fel bo angerdd yn y neges,
A pherswâd yn treiddio hon;
Wedi'r erfyn
Boed cymodi â thydi.'

Diolchwn i ti am ein llyfrau emynau sy'n ein galluogi ni i ganu mawl i'th enw a rhannu profiadau dwfn awduron yr emynau. Diolchwn hefyd bod emynau ar gael ar gyfer oedolion, ieuenctid a phlant fel y caiff aelodau'r teulu cyfan gyfle i ddyrchafu eu lleisiau mewn clod a moliant i ti.

Taer erfyniwn am dy fendith ar waith yr Ysgol Sul lle mae oedolion ac ieuenctid a'r plant yn cael cyfle i ddod at ei gilydd i drafod a dysgu dy Air sanctaidd. Dyro dy arweiniad i'r athrawon sy'n paratoi gwersi ar gyfer eu dosbarthiadau er mwyn eu dysgu amdanat ti:

> 'Am yr Ysgol rad Sabbothol,
> Clod, clod i Dduw!
> Ei buddioldeb sydd anhraethol;
> Clod, clod i Dduw!
> Ynddi cawn yr addysg orau,
> Addysg berffaith Llyfr y llyfrau:
> Am gael hwn yn iaith ein mamau,
> Clod, clod, i Dduw!'

Arglwydd Dduw ein hiachawdwr, clodforwn dy enw mawr am bopeth a wnaethost er ein mwyn yn dy Fab, Iesu Grist. Rydym yn wir ddiolchgar am bob cyfle a gawn i ddod gyda'n gilydd at fwrdd y cymun. Wrth gyfranogi o'r bara, cofiwn am gorff toredig ein Harglwydd Iesu Grist yn dioddef a marw trosom; ac wrth yfed o'r cwpan cofiwn am y gwaed a dywalltwyd er maddeuant pechodau. O! Arglwydd ein Duw, deuwn at y bwrdd i amlygu ein ffydd yng Nghrist a'i waith ar y Groes a agorodd y ffordd i bechadur wneud ei gymod gyda thi.

O! Dad sanctaidd, cawn ein disgrifio fel Eglwys fel yr hon a bwrcasodd ef â'i briod waed. Bendithia dystiolaeth dy Eglwys yn y winllan yr wyt ti wedi gweld yn dda i'w gosod fel ei bod yn cyrraedd allan i'r byd o'i chwmpas gyda chenhadaeth Iesu Grist. Gwrando'n gweddi yn ei enw mawr. Amen.

Brian Wright

Y Digartref

Darlleniad   **Mathew 8, 18-20**
                    Luc 10, 25-37

Ein Tad nefol a sanctaidd, diolchwn dy fod yn Dduw sy'n gwrando ac yn ateb gweddïau dy bobl. Cynorthwya ni wrth inni weddïo inni anghofio ein hunain a'n cymhellion hunanol ac i ddod â'r rhai digartref ger dy fron mewn gweddi.

Teimlwn yn hyderus i droi atat yn enw Iesu Grist oherwydd dy fod yn Dduw graslon a thrugarog. Wrth feddwl am y digartref, cofiwn eiriau Iesu ei hun am 'Fab y dyn heb le i roi ei ben i lawr'. Diolch dy fod yn gallu uniaethu gyda dyn yn ei angen. Mae ein dinasoedd a'n trefi mawr yn llawn o bobl nad oes ganddynt le i roi eu pen i lawr. Maent yn cerdded y strydoedd heb unman arbennig i fynd nac unrhyw beth o werth i'w wneud, a hynny o ddydd i ddydd.

Gwyddom, O! Dad, nad ydym yn byw mewn byd delfrydol, a bod problemau a themtasiynau bywyd yn rhan fawr o'r rheswm pam y mae llawer yn ddigartref. Nifer wedi eu cael eu hunain yn y cyflwr hwn oherwydd torpriodas; pobl ifainc yn dianc o'u cartrefi ac yn mynd i'r dinasoedd, ac yn fuan yn dod yn rhan o fyddin y digartref. Mae llawer yn ddigartref, O! Dad, oherwydd eu bod yn gaeth i'r ddiod feddwol a chyffuriau eraill; eraill o blith y digartref yn troi at y ddiod feddwol a chyffuriau er mwyn cael cysur yn eu sefyllfa, am na wyddant at bwy i droi.

> 'O! gwared ni rhag in osgoi
> Y sawl ni ŵyr at bwy i droi;
> Gwna ni'n Samariaid o un fryd,
> I helpu'r gwael yn hael o hyd.'

O! Dduw tragwyddol, mae sylwi ar y rhai digartref yn gorwedd ar y llawr mewn cyflwr truenus yn ein hatgoffa o ddameg y Samariad trugarog, y truan a adawyd ar lawr. Mae'r digartref fel y truan hwn wedi eu brifo a'u harcholli ac mewn angen mawr am gymorth. Mor rhwydd, O! Arglwydd, yw pasio heibio a gwneud dim. Diolchwn, yn unigolion ac eglwysi sy'n gwasanaethu yn dy enw ac yn ymateb i'r angen fel y Samariad trugarog gynt trwy roi gwin ac olew ar eu doluriau:

'Dysg i'w llygaid allu canfod
Dan oleuni dyn ei fri;
Dysg i'w dwylaw estyn iddo
Win ac olew Calfari.'

Gweddïwn dros y llywodraeth leol sydd i ofalu am gartrefu pobl eu hardal, ond sydd oherwydd cyni economaidd yn ei chael yn amhosibl i gyfarfod yr angen. Mae'r cyfrifoldeb yn syrthio ar gymdeithasau gwirfoddol fel Shelter i geisio cynorthwyo gyda'r broblem fawr hon. Gofynnwn iti fendithio'r mudiadau a'r eglwysi hynny sy'n estyn eu dwylo i gynorthwyo'r digartref trwy gynnig lloches, lluniaeth, dillad cynnes, cwmni, cynhesrwydd a chyfeillgarwch. Estyn iddynt dy law; dyro iddynt dy gymorth.

'Dysg inni'r ffordd i weini'n llon,
Er lleddfu angen byd o'r bron;
Rho obaith gwir i'r gwan a'r prudd,
Ac archwaeth ddwfn at faeth y ffydd.'

O! Arglwydd trugarog, nid yw'r rhan fwyaf ohonom yn deall yr hyn yw baich colli cartref a theulu; nid ydym yn rhoi digon o amser i feddwl a gweddïo dros y rhai sydd wedi dioddef y profiad arswydus o weld eu bywyd yn torri'n deilchion.

O! Arglwydd ein Duw, er bod llawer ohonom yn byw mewn ardaloedd lle nad oes pobl ddigartref, paid â gadael i hynny fod yn esgus inni anghofio ein cyfrifoldeb tuag at y rhai sy'n fyr o'n breintiau ni. Crea'r awydd ynom i gefnogi'r mudiadau a'r eglwysi sy'n estyn cymorth i'r digartref yn ein dinasoedd a'n trefi; annog ni i anfon ein rhoddion ariannol ac unrhyw gyfraniadau eraill er mwyn eu cynorthwyo yn eu gwaith a gwneud hynny er clod a gogoniant i'th enw mawr di. Amen.

Brian Wright

Rhyddid

Darlleniad **Genesis 2, 15; 3, 1-24**
Rhufeiniaid 5, 12-23

Ti, O! Dduw, yw awdur bywyd a chynhaliwr popeth byw. Creaist ddyn ar dy lun a'th ddelw dy hun a byd llawn prydferthwch iddo breswylio ynddo. Lluniaist ef o lwch y tir, ac anadlu yn ei ffroenau anadl einioes, a daeth y dyn yn greadur byw. Gosodaist ef yn yr ardd a rhoddaist iddo ryddid i fwyta o bob coeden ac eithrio pren gwybodaeth da a drwg, oherwydd o fwyta o hwnnw buasai'n sicr o farw.

Cynorthwya ni i sylweddoli nad rhyddid llwyr a roddaist ond rhyddid amodol. Rhoddaist ryddid i gerdded gyda thi, i weithio i ti, i gytuno â thi ymhob peth; ond ni roddaist i ddyn ryddid i anufuddhau i ti a gwneud yn ôl ei ddymuniad ei hun.

Agor ein llygaid fel y deallwn y math o ryddid a roddaist inni. O! Arglwydd ein Duw, doedd yr un gwaharddiad a roddaist yn ddim i'w gymharu â mawredd y rhyddid a roddaist. Dewis dyn yn ei ffolineb yw gwrthod dy amod er mor fychan ydyw, a byw yn ôl ei ddewis ei hun. Nid yw'n awyddus i ti fod yn Arglwydd ar ei fywyd; yn hytrach, mae'n ei osod ei hun ar yr orsedd ac yn mynnu cael penrhyddid. Oddi ar ddyddiau dyn yn yr ardd, mae wedi gwrthryfela yn dy erbyn gan wrthod dy berson a'th awdurdod. Cofiwn eiriau'r Apostol Paul:

'Oherwydd er iddynt wybod am Dduw, nid ydynt wedi rhoi gogoniant na diolch iddo fel Duw, ond, yn hytrach, troi eu meddyliau at bethau cwbl ofer; ac y mae wedi mynd yn dywyllwch arnynt yn eu calon ddiddeall. Er honni eu bod yn ddoeth, y maent wedi eu gwneud eu hunain yn ffyliaid.'

Anfonaist y dyn cyntaf o'r ardd, ac o ganlyniad yr ydym bob un wedi ein geni y tu allan i Eden, y ffordd at bren y bywyd yn cael ei

gwarchod gan geriwbiaid â chleddyf fflamllyd fel na allwn fynd ato.
Mae dyn, O! Dad, wedi colli ei frenhiniaeth a'i goron:

'Yn Eden cofiaf hynny byth
Bendithion gollais rif y gwlith;
Syrthiodd fy nghoron wiw.'

O! Arglwydd trugarog, mae ar bobl angen rhyddid oddi wrth
nifer o wahanol bethau sy'n eu cadw mewn caethiwed. Y mae ar rai
eisiau rhyddid o afael afiechyd sy'n gwneud bywyd yn anodd i fyw.
Diolchwn am y meddyginiaethau sy'n gwella rhai ohonom, ond
gwyddom y bydd eraill yng nghaethiwed afiechyd ar hyd eu hoes.
Gweddïwn yn arbennig drostynt. Mae llawer hefyd, O! Arglwydd,
ac arnynt angen rhyddid oddi wrth y gorffennol. Ni allwn newid y
gorffennol ond, Arglwydd, fe all y gorffennol ein newid ni. Mae
rhai'n teimlo euogrwydd mawr oherwydd yr hyn a fu, ac eraill yn
methu maddau'r hyn a ddigwyddodd. Mae arnynt angen eu rhyddhau
o afael y gorffennol, yn bennaf trwy dderbyn dy faddeuant di, trwy
gael y gallu i faddau i eraill, a hefyd faddau iddynt eu hunain fel y
cânt brofi llawenydd a buddugoliaeth. Mae yna nifer hefyd, O! Dad
nefol, ac arnynt angen rhyddid o afael pethau. Mae cymaint o bethau
ar gael yn y byd a hawdd yw inni fynd yn gaeth iddynt a chael ein
rheoli ganddynt. Cofiwn eiriau Iesu, 'Ni allwn wasanaethu dau feistr'.
Mae arnom angen rhyddid o afael pethau fel y cawn drysori pethau'r
nefoedd sy'n dragwyddol, nid pethau'r byd sydd dros dro yn unig.
Gweddïwn hefyd dros y rhai sy'n gaeth i gyffuriau a diod feddwol, y
rhai sydd wedi dechrau trwy arbrofi ond bod hynny wedi arwain at
gaethiwed sydd wedi dryllio a difetha eu bywydau. Diolchwn i ti dy
fod wedi rhyddhau llawer eisoes o afael y caethiwed hwn gan
ddefnyddio eu tystiolaeth i gynorthwyo'r rhai sy'n parhau'n gaeth,
yn y gobaith y cânt hwythau hefyd ryddid.

Anfonaist dy Fab dy hun i'r byd i brynu ein rhyddid o afael pechod.
Y canlyniad fu iddo farw ei hun yn ein lle ar y Groes, ac rydym ninnau'n
rhydd unwaith eto i'th garu a'th wasanaethu mewn ufudd-dod a
ffyddlondeb. Boed i lawer mwy brofi buddugoliaeth Calfaria a rhyddid
yn yr Arglwydd Iesu Grist, fel bod cân y gwaredigion i'w chlywed yn
dyfod o'u genau yn awr a hyd byth. Amen.

Brian Wright

Iechyd

Darlleniad   Salmau 42 a 43

O! Arglwydd trugarog a graslon, diolchwn i ti am rodd werthfawr iechyd. Heb iechyd ni allwn fyw ein bywydau fel y dymunwn. Gwyddom na allwn gymryd ein hiechyd yn ganiataol - gall rhywbeth ddigwydd mewn eiliad i beri inni ei golli, boed am amser byr neu am amser hir.

Ein Tad nefol, gwyddom fod yna nifer helaeth o gyflyrau a all arwain at golli iechyd a bod nifer yr afiechydon yn ddi-rif. Sylweddolwn mor fregus yw bywyd pob un ohonom, a chymaint yr ydym yn dibynnu arnat ti, pa un ai ydym glaf neu iach.

Diolchwn i ti ein bod yn gallu troi at dy Air sanctaidd a darganfod fod yna bobl sy'n dioddef o'r un problemau ac anhwylderau â ni. Diolch ein bod yn gallu cael cysur, cymorth a bendith trwy ddarllen am eu profiadau.

Fel y Salmydd gynt, O! Arglwydd, mae bywyd llawer wedi chwalu'n deilchion. Anodd iddynt yw meddwl y cânt fyth ddod allan o bwll tywyll iselder. Teimlant weithiau dy fod ti wedi pellhau oddi wrthynt ac nad wyt yn poeni amdanynt.

Galluoga ni, O! Dad, fel y Salmydd gynt, i weddïo arnat am dy oleuni a'th wirionedd i'n harwain a'n dwyn i'th fynydd sanctaidd ac i'th drigfan. Yna cawn edrych arnat ti yn lle arnom ein hunain, edrych i'r dyfodol yn lle i'r gorffennol, gorffwys ar dy addewidion yn lle chwilio am resymau am ein cyflwr, a chael buddugoliaeth dros y cyfan yn dy enw mawr.

Deuwn ger dy fron yn awr, O! Arglwydd, i weddïo dros y rhai sy'n dioddef oherwydd methiant a siom. O! Dduw trugarog, rydym i gyd yn gwybod beth yw siom pan fo ein breuddwydion yn torri'n deilchion gan ein gorfodi i newid ein cynlluniau. Gwyddom nad wyt ti erioed wedi rhoddi addewid y buasai hi'n heulog a chlir yn gyson, ond fe'n rhybuddiaist y cawn brofi amser pan fydd hi'n stormus ac yn dywyll arnom. Gan ein bod yn byw mewn byd pechadurus, gwyddom fod siom yn un o ffeithiau caled bywyd. Fel y dywedir yn dy air, 'ni pherthyn i'r teithiwr drefnu ei gamre'.

Gweddïwn dros bawb sy'n dioddef poenau bywyd boed hynny'n gorfforol, yn feddyliol, yn emosiynol neu'n ysbrydol. Cofiwn am y rhai sy'n dioddef poen cyson yn ddyddiol ac yn cael bywyd yn anodd ei fyw. Rwyt ti'n gwybod yn iawn pa bryd y byddwn yn mynd i mewn i ffwrnais dioddefaint. Rwyt ti'n gofalu drosom tra ydym yno, ac rwyt ti hefyd yn gallu ein hachub oddi yno. Diolchwn i ti am y cyffuriau sydd ar gael i leddfu poen ac i'n helpu i deimlo'n well. Dyro inni hefyd y ffydd i bwyso ar dy eiriau fel y ceir hwy ym mhroffwydoliaeth Eseia,

'Paid ag ofni, oherwydd gwaredaf di; galwaf ar dy enw; eiddof fi ydwyt. Pan fyddi'n mynd trwy'r dyfroedd, byddaf gyda thi; a thrwy'r afonydd, ni ruthrant drosot. Pan fyddi'n rhodio trwy'r tân, ni'th ddeifir, a thrwy'r fflamau ni losgant di. Oherwydd myfi, yr Arglwydd dy Dduw, Sanct Israel, yw dy waredydd.'

O! Arglwydd trugarog, mae salwch yn ymyrryd â'n bywyd, yn torri ar draws ein prysurdeb ac yn ein gorfodi i arafu a gorffwys. Diolchwn i ti am feddygon a llawfeddygon a'r meddyginiaethau a'r triniaethau sydd ar gael er mwyn ein gwella. Rydym yn ddiolchgar am ofal y nyrsys ar y wardiau a'r llu pobl eraill sy'n gweithio yn ein hysbytai er lles ein hiechyd.

Gweddïwn dros y rhai sy'n dioddef o afiechyd meddwl ac wedi colli eu hunanhyder a'u hunan-barch. Diolchwn am y gofal sydd ar gael ar eu cyfer mewn ysbyty ac yn y gymuned. Pan ddaw methiant a siom, digalondid ac anobaith i bwyso arnom, a phoen afiechyd a gwendid corff a meddwl i'n blino, diolchwn am y gallu i ymddiried y cyfan i ti yn enw Iesu Grist a chael nerth a chysur ynot er clod i'th enw mawr. Diolchwn i ti am waith gwerthfawr y weinidogaeth iacháu sy'n gweddïo a chynorthwyo'r rhai sy'n wael ac mewn gwendid. Gweddïwn am dy fendith ar y gwaith ac ar y rhai sy'n ymddiried ynddo a thrwyddo. Yn enw Iesu Grist ein Harglwydd. Amen.

Brian Wright

Y Synhwyrau

Darlleniad   Salm 139
             1 Corinthiaid 12, 12-31

Deuwn atat yn awr, ein Duw, gan gredu mai ti a greodd y byd ac sy'n llywodraethu arno. Gallwn weddïo gyda'r Salmydd:

'Ti a greodd fy ymysgaroedd a'm llunio yng nghroth fy mam. Clodforwn di, oherwydd yr wyt yn ofnadwy a rhyfeddol, ac mae dy weithredodd yn rhyfeddol. Yr wyt yn fy adnabod mor dda.'

Ti, ein Creawdwr a'n lluniwr, a roddodd inni ein synhwyrau i'w defnyddio'n bennaf er clod a gogoniant i'th enw, ac yna er ein lles ein hunain a'n cyd-ddyn. Sylweddolwn mor werthfawr yw'r gallu i glywed, gweld, cyffwrdd, arogli a blasu.

O! Arglwydd ein Duw, rydym yn euog o beidio â sylweddoli gwir werth y synhwyrau. Rydym yn defnyddio pob un ohonynt bob dydd a dylem gofio diolch i ti amdanynt bob dydd. Rydym yn mwynhau clywed gwahanol bethau ac mae'r gallu gennym i wahaniaethu rhwng gwahanol fathau o sŵn, rhwng un llais a'r llall, gwahanol ganeuon yr adar a sŵn yr anifeiliaid, yr afon a'r môr, a llu o bethau eraill. Rydym yn mwynhau gwrando ar wahanol fathau o ganu a cherddoriaeth. Rhaid cyfaddef ger dy fron, O! Arglwydd, fod yna hefyd lawer o bethau nad ydym yn hoffi eu clywed - fel sŵn y bwled a'r bom, poen a dioddefaint, gofid a galar. Mae nifer fawr o bobl y byd, O! Dduw, yn byw yn sŵn y pethau hyn yn ddyddiol. Gweddïwn yn daer trostynt y bydd eu sefyllfa'n newid ac y daw heddwch i dawelu sŵn y trais. Gweddïwn hefyd dros y rhai sydd heb y gallu i glywed, wedi eu geni'n fyddar neu wedi colli eu clyw trwy ddamwain neu afiechyd. Nid ydynt yn gallu mwynhau'r pethau yr ydym ni sy'n clywed yn eu mwynhau.

Gweddïwn yn yr un modd dros y rhai sy'n ddall, y rhai sy'n methu gweld prydferthwch dy greadigaeth, y gwahanol liwiau - fel yr haul yn dawnsio ar y dŵr, y sêr yn disgleirio yn y nen, y golygfeydd rhyfeddol a grewyd gennyt. Er ein bod yn cael llawer o bleser wrth ddefnyddio ein llygaid, cawn brofi gofid a thristwch hefyd wrth weld poen tlodi a newyn, erchylltra rhyfel, dinistr a thrychineb, a gweld poen anobaith ar wynebau pobl. Wrth weld y pethau hyn, ysgoga ni, fel eglwysi ac unigolion, i wneud yr hyn a allwn i gynorthwyo'r difreintiedig. Diolchwn i ti am y gallu i gyffwrdd gwahanol bethau a sylweddoli'r gwahaniaeth rhwng y llyfn a'r cwrs, y caled a'r meddal, y poeth a'r oer. O! Arglwydd, mae'r ffordd yr ydym yn cyffwrdd yn gallu bod mor wahanol - gallwn gyffwrdd mewn cariad neu mewn casineb, mewn hapusrwydd neu dristwch, yn dyner neu'n llawdrwm.

Rydym yn ddiolchgar i ti am y gynhaliaeth yr wyt yn ei pharatoi ar ein cyfer yn feunyddiol. Diolchwn am y gallu i gael blas rhyfeddol ar dy roddion hael. Gwyddost yn dy ddoethineb nad ydym bob un wedi cael ein gwneud yr un fath. Mae rhai ohonom yn hoffi pethau melys, eraill yn hoffi pethau sawrus, eraill wedyn yn hoffi pethau sur neu hallt. Diolchwn i ti, O! Dad, am baratoi ar gyfer pawb ohonom fel bod digon i'w gael at ddant pawb. Gweddïwn dros y rhai sydd wedi colli blas ar fwyd oherwydd afiechyd neu boen. Boed i'th law dyner orffwys arnynt i'w hadfer er clod i'th enw.

Diolchwn i ti, O! Dad, am y gallu i arogli. Cawn brofi aroglau hyfryd y wlad - y cae gwair, y blodau a'r planhigion; aroglau glan y môr - y gwymon a'r pysgod. Rydym yn mwynhau arogl gwahanol fwydydd wrth eu coginio. Gwyddom hefyd fel y mae arogl yn rhybuddio dyn o berygl - fel y mae arogl mwg, er enghraifft, yn arwydd o dân.

Rhoddaist ti bwrpas i bob un o'r synhwyrau. Rydym yn wir ddiolchgar i ti amdanynt. Amen.

Brian Wright

Undod

Ein Tad, yr hwn wyt yn y nefoedd, gweddïwn dros dy Eglwys yn ein hoes ac yn ein dyddiau. Llanw dy Eglwys â'th lân Ysbryd. Rhoddaist dy gysegr i'th bobl gynt, i'th bobl fedru dy addoli di yno. Fe'i gwnaethost yn breswylfod brydferth i'th bobl a hiraethai ac a ddyheai am dy gynteddau.

Diolch am y rhai sydd wedi canu mawl i ti ar hyd y canrifoedd yn dy Dŷ. Atgoffa ni, serch hynny, nad wyt ti'n preswylio mewn temlau o waith llaw. Yn hytrach, diolchwn i ti am y man cyfarfod. Yr wyt ti wedi trefnu ffordd, oherwydd ein gwendid a'n pechod ni, i ni gael cymdeithas â thi. Diolch am dy addewid mawr - yno y byddaf yn cyfarfod â thi.

Diolch am ffyddlondeb ein Gwaredwr i'r deml ac i'r synagog. Âi yno yn ôl ei arfer. Diolch iddo am ein dysgu mai tŷ gweddi yw dy deml di. Cofiwn, ein Tad, ei dristwch llethol wrth weld camddefnyddio dy gysegr.

Diolch am ei addewid mawr - lle mae dau neu dri wedi dod at ei gilydd yn ei enw, ei fod ef yno yn bendithio. Argyhoedda ein hoes ni o bwysigrwydd y gymdeithas - y cwrdd â'n gilydd yn dy enw di i addoli ... addoli drwy'r weddi, y gân, y bregeth a'r sacramentau.

Ein Tad, gweddïwn dros dy Eglwys heddiw. Glanhâ dy Eglwys, yr Eglwys sydd i fod yn halen y ddaear ac yn oleuni'r byd. Pryderwn, ein Tad, am gyflwr dy Eglwys yn ein gwlad ni ein hunain ac yn ein byd. Gofidiwn fod yr Eglwys yn rhwymedig - mor rhwymedig nes bod ei thystiolaeth yn wan. Maddau, Arglwydd, ein bod yn aml yn addoli adeiladau yn fwy na'th addoli di, yr unig wir a bywiol Dduw. Argyhoedda ni, ein Tad, ein bod yn gwastraffu arian ac adnoddau i gadw adeiladau, pan fedrem ddefnyddio'n hadnoddau'n well mewn gwasanaeth i'th deyrnas di. Boed inni fod yn fwy unol, O! ein Tad.

Diolchwn am dystiolaeth ein henwadau yn y gorffennol. Nertha ni i weld cyfoeth ein gilydd, i ddefnyddio ein gwahanol safbwyntiau er gogoniant i ti. Pâr, O! Arglwydd, inni fedru gwneud hyn gyda'n gilydd, ac nid ar wahân. Maddau, Arglwydd, mor ystyfnig y medrwn fod. Gofynnwn i ti dosturio wrthym am ein bod hyd yn oed yng ngwaith yr Eglwys yn ceisio plesio pobl. Cofiwn i'th Fab sôn am bobl yr oedd yn ddewisach ganddynt gael clod gan ddynion na chan Dduw.

Ein Tad, argyhoedda'r eglwysi o'r newydd o'u gwendidau. Tywys hwy i geisio arweiniad o'th Air di. Pâr fod dy Air yn llusern ac yn llewyrch. Gwna ni yn ufudd i'th Air, a rho oleuni dy Ysbryd inni fedru deall dy Air a gwybod sut y mae'n siarad â ni heddiw.

Gweddïwn dros drefi ac ardaloedd Cymru sy'n medru bod mor unol ymhob peth ond wrth dy addoli ar dy ddydd. Cymer drugaredd ar ein dyddiau. Tyrd â'th bobl i fod yn un yn Iesu Grist. Er mwyn ei enw ef. Amen.

Gareth Alban Davies

Doniau

Darlleniad **Exodus 31, 1-6**
Mathew 25, 14-30

Ein Tad, yr hwn wyt yn y nefoedd, deuwn ger dy fron o'r newydd i'th addoli. Deuwn i ofyn am dy arweiniad - hebot ti ni fedrwn ni wneud dim. Diolchwn dy fod yn derbyn rhai fel ni, a gad inni gofio'n barhaus mai ti yw ein gwneuthurwr ni, mai ynot ti yr ydym yn byw, yn symud ac yn bod.

Bendigwn dy enw mawr am y cyfoeth doniau sy'n perthyn i ni. Rydym i gyd yn wahanol, ond mae gan bob un ohonom ei gyfraniad er lles dynoliaeth. Maddau mor hunanol yw ein hoes - llafuriwn er ein lles ein hunain, gan anghofio eraill.

Diolchwn am bobl sydd wedi medru newid cyfeiriad hanes, y rhai hynny sydd wedi cysegru eu doniau i geisio gwneud ein byd yn lle gwell i fyw.

Diolch am y gwyddonydd a'i ddarganfyddiadau; am y ddawn i ddarganfod sut i wella a lleddfu poen; am y ddawn i drin y ddaear; y ddawn i ddod â thechnoleg fodern i afael gwareiddiad. Ond erys y tristwch, Arglwydd, fod camddefnyddio ar ddoniau fel hyn. Gwnawn fwy a mwy o arfau dinistriol; camddefnyddiwn ddefnyddiau crai ein byd; mae ein dyfeisgarwch yn dod â dinistr. Newidiwn ffordd o fyw'r canrifoedd yn y fforestydd, gan wneud y tlawd yn dlotach a'r cyfoethog yn gyfoethocach.

Diolch am feddygon a nyrsys. Bendigwn dy enw am y doniau a gawsant i wella clwyf ac esmwytháu cur. Ond, ein Tad, mae arnom angen dy arweiniad di yn yr oes newydd, pan yw person yn chwarae duw â bywydau. Arbrofi ar groth a defnyddio rhannau o gorff fel darnau o beiriant. Rho d'arweiniad yn ein dyddiau.

Diolch, Arglwydd, am yr athrawon sydd â'r cyfrifoldeb aruthrol o gychwyn plant ar daith bywyd. Athrawon ysgol a darlithwyr coleg sy'n rhoi cyfeiriad i'n hieuenctid. Dyro drefn yn ein dyddiau, dyddiau â chymaint o gwyno am brinder adnoddau.

Diolch am y bardd a'r llenor a'r cerddor. Am y cyfansoddiadau sy'n cyfoethogi ein meddyliau ac yn rhoi blas i oriau hamdden. Diolch am y gerdd a'r gân a'r gynghanedd.

Diolch i ti am arweinwyr gwlad ac ardal. Gad iddynt sylweddoli'r cyfrifoldeb sydd ar eu hysgwyddau. Maddau i arweinwyr y gwledydd gymaint yr anhrefn a'r dioddef y medrant eu hachosi. Sobra hwy i feddwl am eraill, yn hytrach nag am eu buddiannau eu hunain.

Diolchwn am bawb sy'n gweithio â'u dwylo ymhob dull a modd er ein cysuro ni.

Diolch am bregethwyr y Gair, am weinidogion a chenhadon. Diolchwn am y rhai sy'n ymdrechu i daenu'r efengyl yn ein gwlad ac ymhob cwr o'r byd. Diolchwn am ddoniau'r bobl hyn.

Bendigwn dy enw am y llu aneirif sy'n gweithio heb feddwl am dâl na chlod. Y fam yn ei chartref, yr aelod yn yr eglwys, y rhai sy'n casglu at achosion da, a'r rhai sy'n gofalu am yr unig a'r diymgeledd.

Diolch am dy Fab, Iesu Grist - er iddo ef fod yn gyfoethog, daeth yn dlawd er ein mwyn ni. Gadael y nef o'i fodd a dod fel gwas. Dod i wasanaethu, nid i'w wasanaethu.

Atgoffa ni, beth bynnag yw ein doniau, mai oddi wrthyt ti mae'r cyfan wedi dod. Beth sydd gennym nad ydym wedi ei dderbyn?

Derbyn ni yn enw Iesu Grist, dy Fab, wedi maddau ein beiau yn ei enw. Amen.

Gareth Alban Davies